PLATEAU

Franck Bouysse est né en 1965 et partage sa vie entre Limoges et sa Corrèze natale. Sélection du Prix Polar SNCF, *Grossir le ciel* a rencontré un succès critique et public. Il a notamment remporté le prix *Sud Ouest* / Lire en poche du festival de Gradignan, le prix polar Michel-Lebrun, le prix Calibre 47 et le prix Polars pourpres. Franck Bouysse est également l'auteur de *Vagabond* et de *Pur Sang* aux éditions Écorce, et de *Plateau*, prix des lecteurs de la Foire du livre de Brive, aux éditions La Manufacture de Livres.

Paru au Livre de Poche :

GROSSIR LE CIEL

FRANCK BOUYSSE

Plateau

LA MANUFACTURE DE LIVRES

© La Manufacture de Livres, 2016.
ISBN : 978-2-253-16417-3 – 1re publication LGF

Mais ici, sur cette terre, on aurait dit que le labeur était vain.
La faune et la flore croissaient ou disparaissaient,
prospéraient ou dépérissaient, totalement indifférentes
à l'être humain et à sa volonté. Un homme peut imprimer
sa marque, qu'ils disaient ! Mensonges et balivernes.
Je vous le dis devant Dieu : un homme pouvait bien
se battre et besogner toute sa sainte vie durant
sans imprimer la moindre marque ! Rien !
Absolument aucune marque suffisamment profonde !

KEN KESEY
Et quelquefois j'ai comme une grande idée

Car le Beau n'est rien d'autre
que le commencement du Terrible…

RILKE
Élégies duinésiennes

Prologue

Cet endroit, on s'y jette avec dévotion. On s'y perd, aussi, guidé par l'instinct, quelque chose de sacré. Quand les voix se muent en mortelles suppliques et les chants en discours primitifs. Un endroit où se tenir debout, dans l'orgueilleuse posture de l'initié. Un endroit où le monde s'arrête chaque jour pour des armées d'êtres vivants incapables d'en imaginer un autre, et si quelque fou avait l'idée d'y bâtir une ville, il s'en trouverait toujours un pour sculpter sa propre folie dans le tronc d'un chêne centenaire, et remiser l'âme égarée dans la profondeur des enfers.

Un endroit où l'on prie encore à l'édification d'une simple maison de pierres grises parfumées de torchis, et même qu'on n'en voudrait à personne que des dieux anciens se risquent à émettre un avis contraire. On s'en remettrait à eux sans discussion. Car aucun homme sain de corps et d'esprit n'est en mesure d'offrir quoi que ce soit à cette terre et, prenant conscience d'une telle évidence, il peut y demeurer, la servir en quelque manière, chevaucher les montagnes, dépenser un bonheur asservi durant le temps d'une existence, et puis pourrir dans la vallée.

La roche affleure bien souvent, distançant ajoncs, callunes et toutes sortes d'herbes faméliques. Les arbres, quand il y en a, on ne sait dans quelle matière ni jusqu'où ils vont puiser le sens de leur vie, dans quelle terre ruissellent leurs racines, sur quel magma la graine a bien pu germer et enfanter, avec l'unique projet de subir le vent, le froid, la neige et parfois la brûlure. Là où la mort modèle la vie jusqu'à la déraison. Là où des rochers se dressent vers le ciel, desquels dévalent des ombres impénitentes et se retirent en terre sainte. Là où le vent se laisse aller à parfaire les sons pour rien d'humain. Là où de peureuses sirènes viennent et repartent, leurs voix atones disparaissant dans la canopée torturée par la brise. Où de pauvres graals emplis de sève et de sang sont attirés par un même cœur enfoui dans les tréfonds de la terre. Où l'alternance des saisons bride les espoirs de ce monde. Où la seule obsession de la fleur visitée par l'abeille est de faire face à l'hiver glacé. Là. Où la pluie ruisselle sur des tuiles d'écorce pour s'en aller rejoindre de profondes citernes.

Ici, c'est le pays des sources inatteignables, des ruisseaux et des rivières aux allures de mues sinuant entre le clair et l'obscur. Un pays d'argent à trois rochers de gueules, au chef d'azur à trois étoiles d'or.

Ici, c'est le Plateau.

1

Il est une ombre sur le Plateau, un germe sous un tégument, un murmure porté par le vent qui courbe à peine l'échine des herbes.

Imago prêt à toutes les mues.

Il trace de mystérieux symboles sur son visage avec un morceau de charbon de bois. Marques runiques intraduisibles. Folie déployée sur sa peau, comme des souvenirs pas encore nés, les puissantes déraisons qui turbinent hors des frontières de son corps.

Ses pieds n'ont pas encore foulé le sol, ses empreintes n'ont pas honoré ce monde sauvage. Ses yeux n'ont pas vu danser les étoiles sur les eaux noires des étangs et sa voix n'a pas glacé la nuit.

Il sait.

Il sait tant de choses au sujet de la peur et du sang. Leur goût. Le ferment si excitant de la crainte qui fait relever la tête au cerf inquiet et voler plus haut les oiseaux dans le ciel. La proie, qui ne soupçonne encore rien du sang qui déboule d'un torrent d'altitude. Peur et sang, jumeaux maléfiques s'abreuvant à son propre sein.

Il sait.

Il est une ombre en suspension, diluée, insaisissable, chantournée au gré des vents de ses désirs.

Une ombre, qui hante le silence et frôle les clochers des églises.

Tout à la fois.

L'ombre d'un homme.

Il est le Chasseur.

Il n'est pas dix heures du matin.

Deux hommes sont assis sur un tertre rocheux. Ils mangent du pain, du jambon cru et du fromage et boivent, à tour de rôle, du vin rouge au goulot d'une bouteille en verre. Un lièvre d'une dizaine de livres au museau luisant de sang et deux fusils de calibre douze gisent sur un lit de mousse, à portée de main. Deux beagles tournent autour des chasseurs en reniflant, à l'affût de croûtons de pain, de rogatons et de gras de jambon, jetés machinalement par l'un ou l'autre des hommes. La composition a des allures d'armoirie médiévale d'un autre temps, un genre de langage héraldique.

Quelques rangs de maïs et de topinambours s'étalent en contrebas, assujettis à une langue de terre à peine plus large qu'un pont sur la rivière, prolongée par une lande de carex bordée de bruyères. On peut voir des morceaux de tissus flottant dans le vent, encore accrochés à une croix faite de piquets cloués, et tout en haut un chiffon cousu vomissant la paille par une hideuse bouche peinturlurée.

À l'aplomb, comme une avant-garde de l'automne, le soleil éparpille une lumière orangée sur une lisière de hêtres qui balisent au loin des prairies épuisées.

Karl, ses manches de chemise retroussées jusqu'à la naissance du biceps, passe le revers d'un pouce sur l'arête de son nez pour chasser une mouche. Il coupe une tranche de fromage, sans retirer la croûte, et l'enfourne dans sa bouche. Ses avant-bras boursouflés de veines biscornues ressemblent à des poteaux en fer recouverts de tiges de glycine.

Virgile relève les yeux sur l'horizon qui danse au loin dans une brume irréelle fabriquée par l'usure de son regard. Il semble consumer les dernières flammes d'une très ancienne vigueur et, sous son visage abrasé, des os saillants ondulent sous la peau quand il mâche. Un accès de tristesse le frappe au plexus, d'un coup sec, et vient se nicher au fond de son ventre.

Dans le ciel, un milan noir s'enroule autour d'une corde invisible et grimpe en écaillant l'azur de ses cris perçants, vers calibrés d'un psaume. Virgile ne se risque pas à vérifier de quel rapace il s'agit, il se force à cadrer le premier plan de ses mains occupées à ranger les restes du repas dans du papier d'aluminium. Un an plus tôt, le médecin de famille lui a parlé de cataracte, mais, n'étant pas certain de son diagnostic, il a souhaité l'avis d'un spécialiste. Puis les mots du spécialiste, temps morts, respirations, fruit de l'expérience, rien de compassionnel : *dégénérescence maculaire*. Et le confrère a dit, en se raclant la gorge, le futur proche et le lointain. Ce lièvre que Virgile a tiré au jugé, ne le distinguant pas entre les touffes d'ajoncs, pas plus que les chiens fouraillant à son chevet. L'aveuglement en marche.

Karl prend une longue bouffée de la cigarette qu'il vient d'allumer, puis refoule fumée et mots mélangés.

— Regarde-moi ça si c'est beau, on dirait que les arbres crachent du feu.

Virgile enfonce du pouce le bouchon sur le goulot sans lever les yeux :

— Ouais.

— Putain, prends le temps de regarder. Tu vas quand même pas me dire que personne est responsable de ça.

Pour Virgile, Karl a toujours été pénétré par une foi machinale, faite de prières à un dieu qu'il rend seulement responsable des bonnes choses qui lui arrivent. Pour le reste, il y a les hommes et leurs démons.

Le sujet entraîne parfois les deux hommes dans une échauffourée passionnée. Virgile le mécréant, Karl le croyant. Pas si simple. Chacun sait d'avance qu'il ne convaincra pas l'autre, alors ils en profitent pour tenter de se convaincre eux-mêmes du bien-fondé de leurs certitudes affirmées, en haussant parfois le ton plus que nécessaire.

— Je trouve ça beau, mais c'est pas le problème.

— Ah, nous y voilà rendus au foutu problème.

Virgile se ravise, retire le bouchon, boit une gorgée de vin, rebouche la bouteille et dit :

— Ça faisait longtemps.

— Pas tant que ça, il me semble.

— Je risque de me répéter, vu que j'ai pas changé d'avis sur la question.

— Moi non plus, c'est pas grave, dit Karl avec un large sourire.

— Bon, ce que je veux dire, c'est que le soleil et les arbres, ils se fichent pas mal de fabriquer du beau, ils sont ce qu'ils sont, un point c'est tout.

— *Et pour que les merveilles entrevues m'évitent tout orgueil, malgré leur excellence, il m'a été planté dans la chair une écharde*, dit Karl en balançant une main devant lui comme un chef d'orchestre.

— Tu te verrais.

— Quoi ?

— On dirait quelqu'un qui a trouvé une saloperie par terre et qui veut la refiler à tout prix.

— T'appelles ça une saloperie…

— Tu la sors d'où celle-là ?

— Une des Lettres aux Corinthiens, plus ou moins.

— Quand je pense que tu t'es tapé la Bible, en plus du reste, dit Virgile, comme s'il plaignait un ami d'une chose terrible qui lui serait arrivée.

— On apprend plein de choses en piochant dedans au hasard.

16

— Moi, je trouve suspect de te forcer à apprendre des phrases entières de ta Bible. Enfin, je suppose que c'est pratique pour avoir une réponse à tout ce qui se présente.

— C'est pas que ma Bible.

— Admettons…

— Et puis ça me regarde.

— Alors cherche pas à m'embobiner avec le paysage.

— T'as jamais eu besoin d'aide, toi, ou bien t'es trop fier pour l'admettre.

— J'ai l'habitude de penser par moi-même, pas de sous-traiter.

— Excuse, j'avais oublié à qui j'avais affaire.

— Tu veux dire quoi par là ?

— Qu'on est trop vieux tous les deux pour se gourer de cible.

Virgile relève la visière de sa casquette.

— Et qui c'est le plus orgueilleux, d'après toi : celui qui trouve des causes à la beauté, ou celui qui en cherche pas ?

Karl sourit en regardant Virgile.

— T'es un petit malin.

— Je disais pas ça pour faire le malin.

— Peut-être bien, mais je te connais suffisamment pour savoir quand tu fais semblant de pas comprendre.

Virgile n'a pas l'intention de lâcher le morceau :

— C'est marrant ton histoire d'écharde, on dirait qu'elle est pas terminée, la phrase.

17

— Je vois que t'as écouté avec attention… Justement, elle est pas finie.

— Y aurait pas un démon dans les parages ? Y a toujours un démon qui traîne dans les saintes Écritures, pas vrai ?

— Je croyais que t'y connaissais rien.

— Je suis allé au catéchisme, comme tout le monde. C'est depuis ce temps que j'ai pris mes distances.

— Tes distances !

— Ouais, mes distances, et si tu restes assez longtemps dans le coin, tu t'apercevras vite que personne veille durablement sur personne.

Karl a la délicieuse sensation d'avoir mis en joue un animal farouche, sans vouloir appuyer sur la détente. Quant à Virgile, il se rend compte qu'il s'est laissé manœuvrer et que conduire un troupeau est plus dans ses cordes que mener une conversation. Dans ces moments, il a le sentiment de parler tour à tour à un étranger, à un frère et à un fou.

— Quand je pense à ce que deviennent les nouvelles en passant par plusieurs bouches, entre le village et ici… J'imagine que t'es conscient de ça quand tu ouvres ta Bible et que t'y pioches tes vérités, dit Virgile en frottant ses jambes de pantalon pour en faire tomber les miettes.

— T'es bien un vrai paysan, toi.

— Ça veut dire quoi ?

— Que t'as sûrement plus de réponses à donner que de questions à poser.

— C'est un genre de leçon ? Venant d'un type qui en a visiblement pas retenu beaucoup, ça me fait plutôt rigoler.

Karl observe Virgile qui sort son paquet de cigarettes d'une poche de son veston, pour en prendre une et la porter à sa bouche.

— On peut pas dire que les valises t'encombraient beaucoup quand t'es arrivé ici, poursuit Virgile l'air de rien.

— Je vois pas le rapport.

— Un homme, c'est fait pour garder ce qu'on lui a transmis, c'est pas fait pour conquérir le monde, ni pour se poser des questions, voilà ce que je pense.

Karl se raidit, se souvenant des maigres confidences faites à Virgile, concernant sa façon de vivre avant de s'installer sur le Plateau.

— Pas la peine de me faire la leçon. Chacun son histoire. J'essayais pas de te convaincre de quoi que ce soit.

— Oui, oui, je sais... Désolé, je suis un peu à cran en ce moment.

— Jude ?

— Jude.

— Et ?

— ...

— Ça fait combien qu'on se connaît, d'après toi ?

Virgile prend un temps avant de répondre.

— D'après moi, ça devrait nous mener au même résultat que d'après toi, je suppose.

— Je dirais cinq ou six ans à tout casser.

— Entre les deux me paraît être un bon chiffre. Pourquoi cette question ?

— Je me demandais juste, dit Karl en repoussant d'un coup de botte un des deux chiens qui s'est approché pour lécher le sang sur le museau du lièvre.

— Heureusement que t'étais là pour l'abattre. Moi, j'ai juste réussi à lui donner un peu d'élan avec mes deux cartouches.

— Y a pas si longtemps, tu lui aurais pas laissé sa chance. Faudrait que tu fasses régler ton fusil. Il doit pas assez écarter, à mon avis.

Virgile plie son couteau, tend sa jambe droite et le glisse dans une poche. Il ramasse le lièvre au corps raidi et le fourre dans son carnier. Les deux hommes se mettent en route dans la lumière vacillante de ce matin de septembre qui étire leurs ombres sur la rocaille d'un chemin creux bardé de bruyères et de fougères-aigles. Les chiens trottent à leurs côtés – petites flammèches autour de bûches, sans plus chercher à aiguiser leur flair sur une piste sans avenir.

Ils traversent de grands bois. Corps séquencés dans une alternance d'ombre et de lumière. Leurs pas effacés dans l'instant sur d'épaisses couches de mousse reprenant forme dès leurs semelles retirées. Ils empruntent ensuite une piste de débardage où flotte une odeur entêtante de résine, marchant en équilibristes sur la crête centrale clôturée de profondes ornières gorgées d'une eau boueuse. Des grenouilles plongent à leur approche et se laissent couler, puis remontent à la surface dans la position du supplicié cloué sur un gibet. Les deux hommes n'ont aucun regard pour le carnage de branchages et de cimes abandonnés par les forestiers, et pas plus pour la montagne de troncs rassemblés qui forme une muraille régulière de disques jaunâtres entourés d'écorce. Le bruit de leurs pas, comme un requiem.

Lorsqu'on quitte la départementale, il faut encore emprunter deux routes pas recensées, avant de remonter le chemin pierreux menant aux *Cabanes*. De mémoires empilées, il se raconte qu'il y en a eu, des cabanes, dans le temps. De celles qui servaient à entreposer les outils qu'on ne voulait pas rapporter chaque fois au village, lorsqu'on travaillait aux champs. De celles qui abritaient parfois le voyageur, ou de coupables étreintes. Il n'en subsiste rien aujourd'hui. La pierre a relevé le défi, histoire d'éparpiller un peu plus les hommes.

Depuis le bas de la route, le hameau a des allures de mesa incrustée dans le granit qui surplombe une lande tourbeuse où serpente un ruisseau. Quelques grands chênes épargnés étendent leurs branches démesurées en reposoirs pour toutes sortes d'oiseaux sédentaires ou nomades, de ceux qui daignent s'arrêter dans ce pays de rien, plumes relevées par le vent en col de manteau, s'abreuvant du spectacle de ce cirque humide cerclé de gradins forestiers portés par des reliefs à peine suffisants. Et, comme une flaque d'huile de roche, l'étang des Ores étale ses eaux noires tout au bout de la lande qui semble éteindre une mèche ocre faite de carex.

Le chemin distribue la ferme de Virgile sur la droite, puis celle de son neveu Georges, cent mètres plus haut, pour finir par mourir en cul-de-sac chez Karl.

La ferme de Virgile ressemble à un U presque parfait qui délimite une cour avec un puits central. Une maison d'habitation, accolée à ce qu'on a toujours appelé *l'autre-maison*, provenant d'une époque où une seule ne suffisait pas à loger les familles, un endroit qui sert désormais à faire les conserves et à préparer des mixtures savantes pour les animaux. Le reste : des granges, une étable, une bergerie, un appentis pour entreposer la réserve de bois d'une année, et une petite cour qui donne sur un trop vaste jardin. À l'arrière des bâtiments : des outils réformés, pas-rangés-n'importe-comment, bataillés par les rouilles, un genre d'échelle de l'évolution perdue entre les herbes folles.

Ses mains rassemblées en coupe, Virgile asperge plusieurs fois son visage d'eau froide. Puis il gratte les croûtes aux coins de ses yeux, libérant quelques larmes. Son reflet imprime la glace située au-dessus du lavabo. La pharmacienne lui a conseillé un collyre, histoire d'hydrater l'œil. Mais il ne lui a pas tout dit, à la pharmacienne, juste qu'il était sujet à des conjonctivites à répétition qui le brûlent.

Il renverse la tête en arrière, soulève une paupière avec le majeur, fait couler une demi-dose sur l'œil droit et l'emprisonne quelques secondes sous sa paupière, puis il répète l'opération sur l'autre. Le contact avec le liquide le soulage autant qu'il est possible. Ce nom compliqué inscrit sur le flacon. Tout ce à quoi il se raccroche.

Il sort de la salle de bains, entrouvre la porte de la chambre. Dans le lit, il y a ce corps, si frêle, presque brisé, marié depuis cinquante années. Ce corps qui épouse les plis de la couverture, qui se retourne un peu moins chaque nuit, qui s'oublie un peu plus chaque jour et se déglingue par d'autres biais que le sien. Virgile ne s'attarde pas. Il tire lentement la poignée à lui, sans refermer la porte pour ne pas risquer de la faire claquer. Judith se lèvera dans quelques minutes, ou dans une heure, ou plus tard encore, il n'y a désormais plus que son Dieu pour savoir ces choses-là. Ce Dieu, représenté par son éclaireur zélé, crucifié dans chaque pièce de la maison. Mort au combat. Croix de bois. Croix de guerre. Judith y a toujours cru, elle.

Virgile traîne des pieds jusqu'à la cuisine. La lumière du jour naissant s'étale sur tout ce qui lui tombe sous la main : un bahut à deux étages, une table rectangulaire en chêne martelée d'impacts, des chaises en paille, une cuisinière à bois, et d'autres choses à l'utilité mal affirmée, tout ce qui boursoufle les dalles de pierre muées en mycélium fertile.

Il feuillette le journal de la veille, pour vérifier qu'il n'a pas manqué une information capitale, avant de froisser une page, puis fait glisser la plaque en fonte du fourneau, enflamme le papier et le recouvre de petit bois pris dans un panier grillagé posé près de la cuisinière. Au travers du simple vitrage des deux fenêtres, il entend les bandes de moineaux s'accorder aux crépitements du bois sec en train de flamber. Il enfourne trois bûches, puis remplit d'eau une casserole en étain et la dépose sur le tablier en fonte de la cuisinière. Debout, les mains dans les poches, en fumant une cigarette, il attend de la voir frémir.

Il verse ensuite l'eau chaude dans un bol en faïence fissuré, saupoudre la surface de deux cuillérées de café soluble et autant de chicorée. Il jette deux sucres et mélange méthodiquement. La cuillère racle d'abord les parois du bol et se rapproche du centre en faisant un petit tourbillon au creux duquel s'agglutinent des bulles éphémères. Virgile observe la fumée monter au-dessus du breuvage et laisse le parfum rejoindre ses narines, poinçonner son cerveau. Il porte le bol à ses lèvres, boit, souffle à la surface et boit encore, à petites gorgées, ses coudes sur la table. Sa prière du matin au jour qui s'amène.

Assis dans l'herbe, immobile, vêtu d'un pantalon de pluie, d'un chandail passé par-dessus une chemise épaisse, sa veste de pluie posée sur les genoux et ses bottes au pied, Virgile attend que des brèches s'ouvrent dans la croûte céleste et lui révèlent le monde tel qu'il devrait être, sorti d'un microscope. Mais rien ne se déroule de la sorte. La lumière agit comme une substance myotique et il recouvre ses yeux d'un avant-bras, le temps que passe la gêne.

Le cliquetis de la batterie connectée à la clôture pose des notes régulières sur la symphonie du vent qui arrache des feuilles aux charmilles affaiblies par les violents orages des dernières semaines, parsemant le ciel chargé de nuages d'éclats dorés qui ressemblent à des écus privés de masse. Les moutons broutent l'herbe fraîche à peu de distance les uns des autres. Ils forment un grand corps laineux dans le regard flouté de Virgile. Il s'efforce de les compter, tente de séparer chaque bête de la suivante, de déliter cette écume qui l'en empêche. Une première goutte ruisselle d'un œil à sa joue, et il l'essuie du revers de la main. D'autres suivent et s'écoulent aussi régulièrement que le trop-plein de l'étang des Ores.

Au moment de rentrer, il entend une poule faisane qui piète dans les herbes hautes, à moins de vingt mètres de lui. Il la devine, apeurée, affamée depuis qu'on l'a certainement libérée d'une cage pour amuser les chiens et leurs maîtres. Il fait traîner l'extrémité de son bâton dans l'herbe, imitant le déplacement d'un animal. L'oiseau relève la tête, picore l'air, cherche ce qui ne va pas, épie. Une brusque rafale de vent gifle le flanc de la colline et la poule se tasse contre le sol, avant de se faufiler entre les touffes de pâturins et d'achillées, par une sente connue d'elle seule.

Il y a comme une menace blottie quelque part, qui semble profiter de la disparition des ombres pour s'approcher au plus près de l'homme qui vacille au moment de se relever en appui sur son bâton de noisetier. Le vent mord cet écueil et fait claquer les vêtements de pluie, épargnant la casquette posée sur sa tête. Virgile descend par ce même chemin, maintes fois emprunté par son propre père qu'on a retrouvé un beau jour allongé dans le regain bariolé de silènes, le visage inspecté par une avant-garde de fourmis noires. Une belle façon d'en finir, selon Virgile, qui ne peut s'empêcher d'additionner les allers et de soustraire les retours. Ce même chemin, qu'aucun de ses fils à lui ne montera jamais.

— Tu étais où ?

Judith est plantée au milieu de la cour, vêtue d'un peignoir en éponge blanc trop grand qui lui descend aux chevilles. Ses pieds sont nus et ses cheveux sont recouverts d'un de ces fichus en plastique retenu par une cordelette en coton qu'on porte par temps de pluie, et il ne pleut pas. Elle est si mince qu'on ne soupçonne pas de chair sous son vêtement, et de grosses veines bleues recouvrent les os torturés de ses mains dérisoires. Dans ses yeux, on peut encore lire la frayeur qui l'a saisie au réveil.

— Tu étais encore chez ce Karl… Je t'ai pas déjà dit cent fois de te méfier de ce type ?

— J'étais allé changer les brebis de pré. Elles ont raclé toute l'herbe aux Prades.

— Des salades !

— Je te jure que c'est vrai.

— Aux Prades ?

— Oui.

— J'ai cru que…

Les muscles de la vieille femme semblent se donner le mot pour se relâcher.

Virgile force un sourire.

— Où tu veux que j'aille ? On peut pas être mieux qu'ici.

— Tu me trouves idiote ?

— Qu'est-ce que tu vas chercher ?

— Tu peux bien le dire, tu sais.

— Arrête de t'en faire, s'il te plaît.

Virgile s'approche de sa femme et lui prend la main pour l'accompagner à l'intérieur de la maison. Elle ne résiste pas. Passé le palier, il pose son bâton contre le chambranle et s'agenouille pour enfiler une paire de mules aux pieds de Judith, puis il la guide jusqu'à une chaise et plaque doucement ses mains sur ses épaules pour la faire asseoir.

Il prépare du café noir et met du lait à chauffer dans une casserole, tranche du pain de la veille et sort du fromage blanc du frigo. Une mouche prisonnière d'un ruban préencollé suspendu au lustre fait grésiller ses ailes par intermittence, rappelant à Virgile le cliquetis de la batterie, dans le silence de la pièce.

— Tu me le sers, ce café ? dit Judith un peu agacée.

Virgile verse du café dans deux bols, puis il entoure la queue de la casserole d'un torchon et vide le lait chaud dans un ramequin posé au sol. Un chat, couleur de cendre, accourt et se retire en secouant la tête. Judith avale le café et mange un morceau de pain recouvert de fromage. Le chat saute sur une chaise et pointe son museau sur le rebord de la table, sphinx patient et assuré qui attend que les humains quittent la pièce en abandonnant les reliefs de leur repas du matin, pour trier ce qui lui convient pendant que refroidit le lait.

Judith semble parcourue d'une vitalité nouvelle. Virgile connaît bien ce genre d'état passager. Il glisse une Gauloise entre ses lèvres, penche la tête sur le côté et l'allume avec un vieux briquet à étoupe imbibée d'essence. Il tire deux grosses bouffées, puis cale la cigarette au coin de sa bouche. Un sourire se dessine sur le visage de Judith. Son regard passe de la fenêtre à son mari avec la rapidité d'une rafale.

— Je vais t'aider à soigner les vaches.

— Les vaches…

— Je me sens en forme ce matin.

Virgile détourne les yeux.

— Si tu veux…

Judith abandonne son bol sur la table et monte se changer. Virgile est à la même place quand elle réapparaît une dizaine de minutes plus tard, vêtue d'une blouse grise ornée de fleurs d'hortensia bleues et de bas noirs qui boulochent au-dessous du genou. Elle annonce qu'elle est prête et, sans attendre, enfile une paire de bottes en caoutchouc. Virgile la regarde sortir, attend, n'osant toujours pas bouger de peur de s'effondrer. Il entend les pas crisser sur les graviers de la cour et le bruit du verrou qu'elle libère de l'œillet, les battants de la porte qu'elle repousse. Puis le silence.

Il rassemble ses forces, teste son équilibre en s'aidant du dossier d'une chaise, avant de sortir. Dehors, Judith est immobile dans l'encadrement de la porte de l'étable. On la croirait pétrifiée, un genre de tige desséchée dans une friche. Tout en marchant lentement à sa rencontre, Virgile tire nerveusement des bouquets de fumée de sa cigarette.

— Ça fait combien de temps ?

— Pas tant que ça, dit Virgile d'une voix douce.

— Combien ?

— Un an. Peut-être un peu plus.

— Pourquoi tu m'as rien dit, tout à l'heure ?

— Je suppose que j'ai pas eu le courage.

— C'est pire, maintenant.

D'un ongle, il fait tomber sa cendre et continue de triturer le mégot entre ses doigts, comme s'il le brûlait, comme s'il voulait qu'il le brûle à tout prix.

— C'est pas grave, Jude, on va aller s'occuper des volailles. On en a un joli lot.

Judith se retourne, comme si elle venait de recevoir une gifle. Ses yeux sont injectés de sang, et un long sillon vertical fend son front en deux.

— On n'a plus une seule vache, et c'est pas grave ?

— Il nous reste les moutons, dit Virgile en regrettant aussitôt ses mots.

— Fais pas semblant de pas comprendre.

— Excuse-moi…

— L'avantage, c'est que, dans moins d'une heure, j'aurai déjà sûrement oublié que j'avais oublié, dit-elle d'un ton acide. Reconnais que c'est quand même un sacré avantage, pour toi comme pour moi.

— Arrête !

— Arrêter quoi ? Au contraire, tu devrais en profiter tant que je sais à peu près ce que je dis.

— S'il te plaît.

La voix de Judith tremble désormais :

— Combien on en a eu, des vaches, au plus ?

— Dix-huit mères.

— Et on s'en occupait bien, je parie ?

— Sacrément bien, oui.

Des larmes s'écoulent des yeux de Judith. Elle ressemble à une petite chose désarmée, posée devant la bouche sombre de l'étable déserte. Elle racle ses joues du plat de la main pour les essuyer.

— Je vais rentrer.

— Tu devrais plutôt rester avec moi.

— Et faire comme si de rien n'était, c'est ce que tu voudrais ?

— Je crois que ça nous ferait du bien à tous les deux.

— Bon Dieu, je suis capable de me perdre dans le jardin.

— Je serai là.

— Peut-être qu'un jour tu seras plus là, dit Judith en se dirigeant déjà vers la maison.

— Je serai toujours là.

Elle est trop loin pour l'entendre.

Virgile sent l'haleine rejetée par les portes ouvertes de l'étable. L'odeur des bêtes a survécu, plaquée par-dessus celle du foin qui n'a pas été consommé et celle de la crasse qui recouvre les pierres sur lesquelles Virgile pourrait encore lire en braille chaque choc et chaque frôlement fossilisé. Il se demande ce que signifient les derniers mots de Judith, si elle s'est aperçue de sa vue déclinante, si elle n'en conçoit pas un abandon futur inéluctable, malgré toutes ses précautions. Ces secrets dont personne n'est véritablement dupe, mais qu'on garde pour se préserver, survivre tant bien que mal. La puissance des habitudes. Une cathédrale construite patiemment depuis le jour de leur première rencontre. Une cathédrale faite de pierres taillées dans une loyauté sans faille, aux encorbellements noircis, pourris.

Karl s'est pointé un jour aux *Cabanes* dans un Toyota rapiécé, avec un sac de marin qui suffisait manifestement à contenir toutes ses affaires, excepté les deux housses protégeant un Browning semi-automatique, une Winchester .240 et une mallette remplie de munitions. Il semblait émerger de nulle part pour s'installer précisément ici, au creux de cette enclave sans descendance, perdue sur le Plateau, un hameau situé sur la commune de Toy, trente-deux habitants à l'année selon le dernier recensement. Des âmes solides, patinées par des milliers d'aubes et autant de crépuscules, le sabir gelé sur les faces de toutes les choses et de tous les êtres ici présents.

Karl a acheté la maison du vieux Clovis, mort de froid pendant l'hiver, un célibataire plutôt affable, à ce qu'on raconte, et pas qu'un peu porté sur la bouteille. Pas vraiment une ferme, ni même une simple maison, quelque chose d'hybride. Pas d'étable, pas de bergerie, mais une écurie, de petites dépendances autour et un hectare de terrain embroussaillé, au total. Bas

de portes en arches, rongés et cariés par les intempéries, les coups de groins et les coups de sabots d'animaux sacrifiés ou morts de vieillesse. Vitres brisées
par où entrent et sortent des chouettes effraies, obscur
royaume au sol jonché de pelotes vomies et gorgées de
petits ossements embaumés de rongeurs. Plus loin, des
cicatrices d'anciennes fondations envahies de ronciers,
sombre rappel de mauvaises affaires répétées. Revers
de fortune.

Ce jour-là, Virgile a vu ce type baraqué traverser sa
cour et se porter au-devant de lui en se présentant d'un
air déterminé. Il l'a écouté en regardant ses grosses
mains qui parlaient autant que sa bouche, avec des
questions plein la tête, qu'il se gardait bien de poser.
Ce type qui n'avait rien à faire dans le décor. De la
graine de vagabond, avait d'abord pensé Virgile. Un
type curieux de tout, qui semblait redouter la solitude
et qui venait pourtant de son plein gré en ce lieu où
elle s'étend comme du cresson dans une pêcherie.

Au fil du temps, Karl revint à la charge pour demander des conseils sur la manière d'élever des volailles, des lapins, comment entretenir un jardin. La méfiance rurale de Virgile s'atténua lentement. Il distilla son savoir, ramenant inévitablement ses évidences au rang de sarcasmes dont le paysan qu'il était ne pouvait se départir, y allant de ses petits secrets lunaires pour brouiller des pistes trop évidentes, garder un peu de mystère et les hommes à distance des caprices de la nature. Après les nombreux allers-retours de Karl, les choses s'équilibrèrent d'elles-mêmes, le jour où celui-ci mit en pratique ses talents de mécanicien en parvenant à réparer le moteur de l'antique pompe du puits de Virgile.

— T'as appris ça où ?

— J'ai été cheminot.

— Tu entres boire un café ?

Karl suivit Virgile. Une odeur de café usé flottait dans la cuisine, guerroyant avec celle du jambon suspendu dans la cheminée. Judith était assise à table, occupée à éplucher des gousses d'ail. Karl la salua et elle se leva en lui jetant un regard mauvais. Elle sortit deux verres, des petites cuillères et une boîte de sucres d'un bahut, puis elle partit en disant à Virgile qu'elle devait nourrir les volailles. Une dizaine de gousses étaient rassemblées sur la toile cirée, pareilles à des canines de fauves mutilées. Côté senteurs, elles étaient en train de gagner.

Virgile attendit que sa femme soit dehors pour verser le café.

— Fais pas attention.

— À quoi ?

— Le travail, y a que ça qui compte pour elle.

Karl prit le temps de détailler la pièce. La crosse d'une arme dépassait à peine derrière le bahut. Sans la quitter des yeux, il demanda :

— Tu chasses ?

— De moins en moins.

— C'est pas le gibier qui doit manquer dans le coin.

— Ça t'intéresse ?

— Tout dépend comment c'est pratiqué.

— Je chasse encore le lapin et le lièvre. On a aussi sanglier, chevreuil et même du cerf, mais pour ça, faut attendre au poste que ça vienne. C'est pas mon truc. Si jamais ça te dit, faudra t'inscrire aux battues.

— Je suis pas amateur de chasse en meute. Je crois que je vais essayer de me trouver des chiens.

— En attendant, on peut y aller ensemble un de ces jours. Mon chien paye pas de mine, mais il est plutôt doué.

— D'accord.

— Tu auras juste à prendre la carte de la commune, ça ira pas chercher bien loin.

— Ah, faut prendre une carte ?

Virgile interrompit le mouvement de son verre à ses lèvres.

— Ouais, comme partout, j'imagine.

Karl regarda Virgile en esquissant un sourire, et dit :

— Évidemment…

Le café du matin devint un rituel. Ils alternaient, chez l'un et chez l'autre, brassant de mieux en mieux leurs mots et leurs silences.

Plusieurs mois après son arrivée aux *Cabanes*, Karl eut besoin de bardeaux et de madriers pour réparer l'écurie. Il se rendit à la scierie située sur la route du Crek pour se renseigner. Il tenta de discuter les frais de livraison, mais la fille qui éditait les factures lui dit qu'elle n'y pouvait rien, que c'était un forfait valant dans un rayon de zéro à trente kilomètres à la ronde, ajoutant que mettre en route un camion, le charger et mobiliser un chauffeur pour dix ou trente kilomètres, c'était du pareil au même. Karl trouva décidément idiot de sortir quarante billets de sa poche pour un trajet de cinq kilomètres.

— Tu t'es déjà servi de ce genre d'engin ? demanda Virgile un peu soucieux.

— Pas celui-là, dit Karl, un sourire en coin.

— J'oubliais que t'étais mécano.

— T'inquiète, tant qu'y a pas d'électronique.

— Y en a pas sur le mien.

— Alors je devrais pouvoir me débrouiller.

— Attends-moi là.

— Tu veux pas que je t'aide ?

— J'ai l'habitude.

Virgile alla mettre en route son Deutz dans la grange, attela un long plateau sur lequel on pouvait encore lire *Teupénia* inscrit à la peinture rouge écaillée. Puis, il rejoignit Karl dans la cour en laissant tourner le moteur.

— Je remets pas les ridelles, t'auras qu'à attacher les planches solidement, ça devrait suffire pour le trajet. Y a une paire de sangles dans le coffre du tracteur, si t'as besoin, dit Virgile en parlant fort.

— J'ai ce qu'il faut, merci.

— Le voyant de préchauffage fonctionne plus. T'attends quelques secondes avant de tirer sur le démarreur quand le moteur est froid. Après, plus rien peut l'arrêter. Débraye à fond avant de changer de vitesse pour pas faire craquer la boîte. Y a pas à dire, c'est une foutue bonne mécanique, malgré son grand âge.

— Je te le ramène dans l'après-midi.

— Prends ton temps, j'en ai pas l'utilité aujourd'hui.

Karl ramena le tracteur dans la soirée, avec une bouteille de vin rouge sous le bras, visiblement du bordeaux, mais l'étiquette était rongée par l'humidité. Il sortit d'abord son portefeuille d'une poche arrière de son pantalon.

— Combien je te dois ?

— Combien ?

— Pour le gasoil.

Virgile fit mine de repousser la proposition de sa main droite tendue.

— C'est bon, il consomme rien sur la route.

— Ça m'embête.

— Faut pas.

— J'ai plus qu'à dire merci, alors, dit Karl en tendant la bouteille par le goulot, comme s'il déplaçait une pièce au-dessus d'un échiquier.

— C'était pas la peine.

— Je sais pas ce qu'il vaut. Ce qui est sûr, c'est qu'il est vieux.

— Faudrait peut-être pas le faire attendre plus.

— Je voudrais pas abuser.

Virgile humecta l'intérieur de ses lèvres avec sa langue :

— Une seule bouteille pour deux, on peut pas appeler ça abuser.

Karl resta dîner. Judith, avec cette attitude de jeter des regards en coin pendant que les hommes discutaient, n'était visiblement pas très heureuse d'avoir un invité, et celui-ci en particulier. Tout en cuisinant, elle suivait un feuilleton à peine audible à la télé. Elle fit rissoler des saucisses de porc dans de la graisse de canard, et utilisa le jus de cuisson pour faire revenir des patates coupées en carrés avec de l'ail et du persil. Après quelques verres, Karl accéléra le débit de ses paroles, racontant au couple comment il en était arrivé à venir vivre ici, comme s'il ressentait le besoin de se justifier.

À la mort de sa mère, il avait vendu l'appartement. Il ne supportait plus la ville. Le reste n'avait été qu'une succession de hasards. Il utilisa le mot « hasard » plusieurs fois, à la manière de quelqu'un s'obstinant à enfoncer un clou dans un bois trop dur, c'est ce que ressentit Judith, sans jamais prendre part à la conversation. Elle se levait sans cesse pour trouver à faire ailleurs qu'à table, de manière à ne jamais perdre de vue ce type qu'elle savait déjà ne jamais parvenir à aimer. L'observer sans qu'il s'en aperçoive.

La bouteille anonyme ne permit pas d'amener les hommes au terme du repas.

— Il était fameux, ton vin, dit Virgile en faisant tourner la bouteille vide dans une main.

Karl secoua la tête :

— Si j'avais su, j'aurais pris sa jumelle.

— Je dois avoir ce qu'il faut à la cave.

Virgile s'absenta un moment. Karl en profita pour remercier Judith de l'excellent repas qu'elle avait préparé. Elle ne répondit pas, occupée à jeter des bûches dans le fourneau de la cuisinière. Virgile reparut en tenant une bouteille sertie par un fermoir en porcelaine qui écrasait un caoutchouc rouge craquelé.

— Je le fais rentrer en vrac et je le bouche moi-même. C'est du cahors. Sûrement pas aussi vieux que le tien. J'y connais pas grand-chose, mais je le trouve bon.

Les deux hommes goûtèrent le vin en mangeant du pain et du fromage de brebis, puis ils terminèrent la bouteille en discutant. Après avoir débarrassé les couverts et fait la vaisselle, Judith se mit à papillonner, comme si elle cherchait désespérément quelque chose à faire, une utilité nouvelle à entamer, sans véritablement prêter attention à la conversation. Puis, d'une voix à peine perceptible adressée à son seul mari, elle dit qu'elle montait se coucher, s'excusant presque auprès de lui, comme si elle était désolée de l'abandonner en de mauvaises mains. Karl la salua et elle rendit le salut d'un hochement de tête, avant de disparaître dans une embrasure. Des marches d'escalier craquèrent, puis un plancher au-dessus des deux hommes. Et puis, plus rien.

Virgile se mit à balader un doigt sur ses sourcils.

— J'en reviens toujours pas que t'aies atterri ici. Même avec tous les hasards du monde.

— Pourtant, c'est la vérité, j'en pouvais plus de la ville.

— J'imagine qu'elle a des bons côtés quand on sait s'y prendre.

Karl prit un ton grave :

— Là-bas, ton regard finit toujours par buter sur un mur, ici y a rien qui l'arrête.

— Ça, c'est ce que tu penses.

— C'est la première fois que je me trouve dans un endroit où je me sens bien, vraiment bien, je veux dire.

— Il faut parfois du temps avant d'être sûr. Tu viens juste d'arriver.

Karl se détendit et esquissa un sourire en regardant son verre.

— Je crois pas.

— Tu crois pas quoi ?

— Que je viens juste d'arriver.

Virgile laissa passer un temps, un silence nécessaire, pour le cas où Karl aurait voulu en dire plus. Étant donné que rien ne venait, il dit :

— Après tout, ça me regarde pas.

— Tu le connaissais, Clovis ?

— Les héritiers ont dû t'en parler, je suppose.

— On m'a juste dit qu'il avait eu un accident, mais j'en sais pas plus.

— On s'est pour ainsi dire élevés ensemble. Un type bien, qui vivait de pas grand-chose, dit Virgile en basculant sa tête en arrière. C'est moi qui l'ai trouvé, tout gelé dans la neige, mort de froid, y a trois ans. En février.

Karl sentit l'émotion dans la voix de Virgile.

— Merde, je savais pas tout ça.

— Je lui avais dit de se faire opérer de sa mauvaise hanche, vu que c'est courant, de nos jours, mais il a jamais voulu m'écouter. Il préférait sa canne et en baver sans jamais se plaindre.

— Comment c'est arrivé ?

— Je suppose que c'est en allant chercher du bois pour sa cuisinière. Il a pas pu se relever, il s'est traîné jusqu'au portail du jardin. Il a pas pu l'ouvrir. Sa main était collée au loquet par le gel, dit Virgile en regardant dans le vague.

— Habiter aussi près les uns des autres…

— Qu'est-ce que tu veux dire ?

— Juste que les fermes sont proches.

— Avec le vent qui y avait ce soir-là et la neige qui tombait, il pouvait gueuler son aise sans qu'on l'entende.

— Quand ton heure est arrivée, tu peux faire ce que tu veux, ça change rien.

Virgile sembla chasser un vol d'insectes qui lui barrait la vue :

— Je lui apportais le journal tous les soirs, quand j'avais fini de le lire. Ce soir-là, il a pas répondu quand j'ai frappé à la porte. J'ai pensé qu'il se reposait. J'ai pas insisté, alors qu'il devait être en train de ramper dans la neige, à quelques mètres de moi.

— Il était peut-être déjà mort.

— Peut-être.

— Tu pouvais pas savoir.

— J'aurais dû sentir que quelque chose était de travers. D'ailleurs, les flics se sont pas gênés pour me le rappeler.

— Les flics ?

— Y a eu une enquête.

Le regard de Virgile bascula en direction de Karl, puis, d'une voix étrange, comme s'il répétait un texte appris d'avance, il précisa :

— Y a pas une journée qui passe, sans que je pense à Clovis. Il avait jamais un sou devant lui, mais il aurait donné sa chemise sans hésiter à quelqu'un qui en avait pas.

— Les héritiers m'ont pas raconté tout ça.

— Les héritiers, tu m'étonnes… Ils venaient pas le voir de son vivant. Comment veux-tu qu'ils aient eu quelque chose à raconter ? Après la mort de Clovis, par contre, on n'a jamais vu autant de trafic dans le quartier. Ils se pointaient à tour de rôle pour emporter ce qui pouvait avoir un peu de valeur, avec un genre de hiérarchie que j'ai pas compris. Y en a même un qui est venu avec un camion pour vider la réserve de bois, alors que le corps était pas encore froid. Rien que du hêtre et du châtaignier qu'on avait fendus ensemble, Clovis et moi, et sciés à longueur de son fourneau. Je leur aurais bien tiré quelques cartouches, histoire de leur apprendre à courir.

Virgile serra encore plus fort ses poings posés sur la table :

— Tout ce que j'espère, c'est qu'il leur a laissé des dettes, suffisamment pour qu'ils se remboursent jamais.

— Des dettes ? Ça colle pas avec le personnage que tu me décris depuis tout à l'heure.

— Une femme, rencontrée je sais pas comment. Elle lui a raclé les fonds de tiroirs. Il a même été obligé d'emprunter au fonds de solidarité.

— Clovis avait une femme ?

— Il s'est pointé un jour avec cette fille qui jurait sans arrêt comme un charretier, et des manières pareilles. Si la mère de Clovis avait encore été de ce monde, à cette époque, elle en aurait été malade. Probable qu'il l'aurait d'ailleurs pas ramenée, cette fille. Enfin, j'imagine qu'il a au moins profité de choses qu'il avait pas dû souvent approcher par le passé.

— Elle est devenue quoi ?

— Le fonds de solidarité a pas suffi. Clovis a été obligé de vendre une partie de sa propriété, alors je me suis porté acquéreur des parcelles mitoyennes de ma ferme, plus pour lui rendre service que par besoin. Moi non plus, je roule pas sur l'or. Quelques semaines après qu'on a eu signé l'acte chez le notaire, Clovis l'a retrouvée morte dans son bain. Commotion cérébrale. Fin de l'histoire.

— Il s'en est remis ?

— Ça a été dur, au début. Et puis au bout d'un moment, j'ai retrouvé le Clovis d'avant. Après tout, peut-être que cette fille valait un fonds de solidarité et quelques hectares.

Un sourire fugace balaya le visage de Virgile, puis il reprit, tout en frottant son index sur son pouce à plusieurs reprises :

— Je suis à peu près sûr que les héritiers t'ont demandé un dessous de table en liquide.

Karl sourit à son tour, sans répondre.

— Crois pas que c'était une question, dit Virgile en ayant l'air de se défendre.

— Je peux être très dur en affaires, tu sais.

— Tant mieux, si c'est le cas.

— Tu sais combien il y avait d'héritiers, en tout ?

— Un paquet de cousins, j'imagine, vu que Clovis a jamais eu d'enfant.

— Quatorze. Et d'après toi, combien pour négocier la vente ?

— Moins que ça, forcément…

— Deux.

— Putain, je me doute lesquels. Le reste de la bande a pas dû voir la couleur des biffetons. Si jamais tu leur en as donné, bien sûr.

— J'ai vite compris ce qui se passait. Après être sorti de chez le notaire, j'avais rendez-vous avec les deux négociateurs pour leur remettre l'argent.

Virgile fit cogner ses poings l'un contre l'autre.

— Et ?

— Et, c'est ce qu'on a fait.

— Ils ont gagné, alors.

— Ouais, on peut dire ça.

— Salopards !

— Sauf que le lendemain, j'ai fait le tour des douze autres héritiers et je les ai mis au courant du dessous de table. Eux, ils l'étaient pas, au courant.

Ses mains brusquement libérées, Virgile se mit à se frapper le dessus des cuisses à plusieurs reprises, un air de gamin satisfait.

— Le bordel que t'as dû mettre…

Les deux hommes rirent de bon cœur et trinquèrent au bordel évoqué, à coups de verres de gnôle de prune tirée d'une bouteille avec un pêcheur en bois enfermé à l'intérieur, qu'ils parvinrent à sauver consciencieusement de la noyade. Karl repartit de la ferme en titubant, naviguant à vue sur le chemin grâce à la pleine

lune, et il rebondissait parfois sur un écueil en soufflant.

Arrivé chez lui, il s'assit sur une marche de l'escalier et alluma une cigarette en regardant les étoiles
enfoncées dans le ciel épais de la nuit. Ses yeux étaient
deux morceaux de charbon perdus au fond d'un puits
aride, éclairés par l'extrémité de la cigarette comme
un phare pointant un danger.

Georges ne se souvient de rien.

Virgile lui raconta qu'il avait alors quatre ans. Un camion en panne, arrêté à la sortie d'un virage. À l'époque, le port de la ceinture n'était pas obligatoire. Deux corps gobés par le métal boueux. Deux vies fauchées. Son père, sa mère. Il n'était pas dans la voiture.

Virgile, le frère de son père, et tante Judith prirent le relais. Ils n'avaient jamais eu d'enfant. Drôle de cadeau du ciel. Une éducation comme une autre pour Georges. Deux frontières antagonistes. Le cœur et le sang. De bonnes personnes, cet oncle et cette tante, qui n'étaient pourtant pas les *bonnes personnes*, malgré leurs efforts. Virgile apprit tout du métier de paysan à son neveu, tout ce qu'il savait. Judith le nourrit et fit ce qui était en son pouvoir pour l'aimer. Comme un fils, ou presque. La relation ne coula jamais véritablement de source. Chacun demeura toujours à distance respectable, sûrement pour ne pas avoir trop à donner, ni trop à recevoir, et en quelque manière se préserver ainsi de sa propre imposture. Comme sa présence sur ce Plateau, ce bout du monde sur pilotis, cette nature bâclée qui dénude les sentiments.

Depuis toujours, Georges cherche des raisons d'aimer ce territoire, d'accepter ce berceau épineux en bon petit soldat obstiné et lâche.

À quarante-quatre ans, il est parvenu à l'âge d'homme en s'étant bâti un corps fait pour endurer, plus que pour durer, sans penser qu'il aurait un jour à l'économiser. Il aime cette sensation, le soir, lorsque ses muscles s'accordent, au repos, une sorte de bénédiction, comme de parquer des petits animaux sauvages sous sa peau.

Sa ferme est une folie ordonnée au milieu du désordre apparent de la nature. Une bergerie partagée par une allée centrale. D'un côté, une plate-forme commune et des enclos destinés à accueillir les brebis et leurs agneaux. De l'autre, un stock imposant de boules de foin parfaitement empilées. Plus loin, en bordure de prairie, une stabulation, construite de ses mains, faite de tôles fixées par des tire-fonds sur des madriers en cèdre, ouverte sur deux côtés abrités des vents dominants. Un refuge pour les quelques broutards qui pâturent sur les prairies héritées de ses parents et qu'il n'a jamais songé à étendre.

Georges vit dans une caravane, installée dans un ancien jardin désormais recouvert de ce rumex qu'on appelle oseille, ou paradelle, selon de quelle langue on se réclame, face à la maison de ses parents. Une maison dans laquelle il n'a jamais voulu pénétrer. Pas vraiment un défi, plutôt la sensation de veiller sur un temple. Depuis leur mort. Incapable de réduire la distance. Il a eu le choix entre une Caravelair presque neuve, repérée dans les petites annonces de *La Montagne*, et une Airstream des années 70, découverte par hasard dans une casse sur la route de Treignac, alors qu'il était parti en quête d'un crochet d'attelage pour le break offert par Virgile pour ses dix-huit ans. Il n'a pas hésité une seconde en voyant l'aluminium de la carlingue en arc de cercle, cabossée par endroits. Son premier chèque. Le type de la casse lui a laissé ce qui se trouvait à l'intérieur : des dizaines de livres moisis, entassés dans des cartons, qui n'ont visiblement pas intéressé le casseur, car, pour le reste, les placards étaient vides.

L'oncle Virgile l'a aidé dans son installation, sans tenter de l'en dissuader frontalement, contrairement à tante Judith. À cette époque, pour braver la solitude, Georges a recueilli un chien nommé Youki, capable de guider un troupeau et de lever un lièvre, malgré une ascendance désastreuse. Après la mort de l'animal, à dix-sept ans passés, le train arrière paralysé par l'arthrose, Georges se refusa à en prendre un autre. Ça de moins à regretter.

Chaque chose est méticuleusement rangée dans la caravane, chaque opération organisée pour donner le moins de peine possible, l'organisation globale selon

Georges, sa seule façon de l'envisager. Un genre de règle de vie. Une télévision posée entre les deux rangées de placards. Une mappemonde accrochée à une pointe, biffée par endroits à coups de feutre. Chaque placard dévolu à un rôle précis : casseroles, condiments, conserves, assiettes, plats, verres… Chacun son territoire. Après le repas, Georges pose les chaises tête-bêche sur la table, balaye, lave la vaisselle, récure et javellise l'évier. Il ne saurait dire d'où lui vient ce besoin de maîtriser l'ordonnancement des espaces, la rectitude de sa pensée. Ce dont il a conscience, c'est de la douleur que lui procurent les écarts lorsqu'ils surviennent, et de la souffrance supplémentaire lorsqu'il est obligé de se contenir. Une souffrance qu'il endosse, sachant ce qu'on attend de lui en certaines circonstances. Le change.

Et il y a ces livres disposés sur les meubles et quelques rayonnages, méticuleusement classés par auteur. Georges les a tous lus au moins une fois : Faulkner, Steinbeck, Caldwell, Shakespeare, Carver, Thomas, ceux-là plusieurs fois. Ceux qui ouvrent les horizons, ceux qui parviennent à déplacer ce maudit Plateau par-delà des méridiens bandés comme des arcs magiques. Dans ces moments au cours desquels ses liqueurs internes ne sont pas une masse énucléée, inerte. Tant de fois il a rêvé d'ailleurs, au fil des pages froissées dans de fiévreuses nuits dévalant des jours sans frissons. Tant de fois il a maudit cette vie réflexe, et tant de fois épié un but, sans jamais parvenir à en découvrir un seul susceptible de le porter à la plus misérable forme de bonheur.

Au plus loin qu'il fouille sa mémoire, ses parents lui apparaissent parfois, avec une précision étonnante, entre imaginaire et souvenir. Jamais l'entièreté de leurs corps. Les mains du père nouant l'osier, guidant d'autres mains, plus petites, apprenties. La mère égorgeant des gousses de haricots avec l'ongle du pouce, jetant la grenaille au fond d'une bassine en fer-blanc dans le geste du semeur, abandonnant les cosses vides sur la toile cirée, qu'elle regroupe de temps en temps du revers, puis du plat d'une main. Georges, collé aux jambes de la mère, qui joue avec un chiot. On est probablement en juillet, peut-être en août, à voir la robe écrue en coton léger que porte la mère, révélant la nudité de ses cuisses fermes et douces comme l'aubier. L'odeur de cette peau sans artifice ramène Georges à l'époque du lait. Ce goût qui lui remonte parfois inexplicablement dans la bouche et qu'il ravale pour ne pas vomir.

Une époque durant laquelle rien ne peut lui arriver. Les branches souples d'osier, chacune à sa place, les graines giclant des mains. Les mains, les jambes, tout ce que sa mémoire lui donne à visiter en ces jours de sabbat, ces fragments-là, plus convenables que des os. Perpétuer les mains et les jambes de ceux dont il n'ose toujours pas prononcer les prénoms, même dans ses rêves bénis. Ces vies écrites à la craie blanche sur un tableau noir, et la poussière évanouie, respirée, s'inscrivant en numération sanguine dans le moindre capillaire. Les murs et la charpente. L'obscur désir de survivre, coûte que coûte, au travers des mains qui façonnent et de celles qui rénovent. L'absence de choix qui les guide. Ceux qu'il ne parvient pas à invoquer, de peur de les rendre trop vivants, et qui le visitent à son insu.

Et ce doute persistant. Ne pas être certain que sa mémoire visite ses parents, mais des étrangers vivants sous un toit de pluie.

Quelque part au loin sur le chemin, des chats errants et bravaches se provoquent, en écornant le silence de leurs cris enfantins.

Georges regarde le ciel. À force de fixer les étoiles, il a la sensation que la lumière vacillante qui les entoure ronge l'anthracite du ciel, amenuise l'espace en étendant leur aura au-delà de toute conception raisonnable. Ce vertige délicieux et indépassable. Jamais il ne va au-devant du sommeil. Laisse le corps s'alourdir lentement, jusqu'à ne plus pouvoir le porter et alors seulement, son esprit peut s'en aller pâturer librement.

Il descend le chemin et passe devant le portail ouvert de Virgile. Il aperçoit la cuisine éclairée. Une ombre sur les carreaux. Il hésite un instant, puis traverse la cour, s'approche de la porte d'entrée et frappe doucement.

Virgile lui ouvre presque aussitôt.

— Tu dors pas à cette heure ? demande Georges.

— Entre !

— Je te dérange pas ?

— Je buvais un café, t'en veux ?

— Je veux bien.

Virgile se dirige vers le lourd buffet, en sort un verre qu'il remplit avec le reste de café et le pose sur la table, face à Georges. Ce dernier boit une gorgée brûlante au goût de métal froid et repose le verre sans le lâcher :

— Comment elle va ?

— Elle doit dormir, à l'heure qu'il est. C'est ce qui nous convient le mieux à tous les deux, je suppose. Fais pas cette tête.

— Je l'ai vue aujourd'hui, elle avait pas l'air trop mal.

— T'as dû tomber sur un moment avec. Ils sont de moins en moins nombreux.

— J'ai lu quelque part qu'il faut pas hésiter à solliciter les gens qui ont ce genre de maladie.

— C'est aussi ce que dit le toubib.

Georges boit, puis racle le fond du verre avec la cuillère.

— Je te laisserai pas tomber.

Virgile fait naviguer sa langue par-dessus ses dents, comme s'il essayait de se débarrasser d'un pépin coincé, puis il recale son dos dans le dossier de la chaise.

— Puisque t'es là, autant que je te le dise maintenant.

— Me dire quoi ?

— On va avoir de la visite.

— C'est-à-dire ?

— La nièce de Judith doit venir passer quelques jours ici.

— Chez toi, tu veux dire ?

— Oui, enfin…

— Qu'est-ce qu'elle vient faire, elles se sont jamais fréquentées à ma connaissance ?

— Elle dit qu'elle a nulle part où aller.

— Tu lui as expliqué, pour sa tante ?

— Évidemment.

— Et ça la dérange pas de s'imposer ?

Virgile passe une main sur son visage, depuis le front jusqu'au menton.

— Elle a divorcé d'un type qui la battait. Elle dit qu'elle a tout perdu et pas d'autre famille que Judith.

— Pourquoi tu m'en as pas parlé plus tôt ?

— Parce que je l'ai appris aujourd'hui, pardi.

— Combien de temps elle compte rester ?

— J'en sais rien du tout.

— Tu lui as pas posé la question ?

— Bien sûr que si…

— Je pense que c'est pas une bonne idée.

— Elle a l'air d'en avoir bavé, la gamine.

— Elle arriverait quand ?

— Dans quatre jours.

— Tu vas pouvoir t'organiser en si peu de temps ?

— Justement, tu sais que je suis plus bien habile pour conduire et, avec Judith à surveiller, je me disais que tu pourrais peut-être aller la chercher à la gare ?

— Y a bien des taxis.

— T'as une idée de ce que ça coûte pour monter jusqu'ici en taxi ?

— Ça va, j'irai.

Georges se lève.

— Y a autre chose, dit Virgile sans relever les yeux de son verre.

Il balance sa tête en direction de la porte d'entrée, avant de poursuivre :

— Je compte l'installer dans l'ancien four à pain, mais il faut que je finisse de curer les rigoles avant qu'il fasse vraiment mauvais.

— Je t'aiderai, si tu veux.

— Je veux bien. N'empêche, en attendant, il faut trouver une solution.

— T'as bien deux autres chambres qui font rien dans la maison.

Virgile agrippe son verre en regardant Georges, comme si ce dernier venait de dire une énorme ânerie. Sa voix est claire et puissante :

— Ça, j'en veux pas. Tu sais bien comme c'est compliqué en ce moment à la maison avec ta tante. C'est un spectacle pour personne, et puis on a nos habitudes.

— Comment tu vas faire, alors ?

— Je sais que t'as pas beaucoup de place chez toi...

Georges sent un frisson le traverser, comme s'il venait de prendre un coup de jus.

— Qu'est-ce que t'es en train de me dire ?

— Considère que ce serait du provisoire. J'ai une semaine de boulot, deux maximum.

Georges fait un pas vers la porte, puis se retourne brusquement.

— Tu peux pas me demander ça.

— C'est pas bien long, quinze jours.

— Vous avez tout manigancé dans mon dos.

— Je lui ai dit que je t'en parlerai.

— Encore heureux.

Virgile empile calmement les deux verres vides l'un sur l'autre.

— Je t'en demande beaucoup, dit-il.

— Et si je refusais ?

— Je suppose que tu serais dans ton droit.

Georges ouvre la porte et dit, comme s'il parlait à la nuit :

— Tu devrais aller te reposer, maintenant.

— Qu'est-ce que je lui réponds, alors ?

— Je changerai pas mes habitudes.

Georges sort, accueilli par une pluie fine, et l'air secoue des odeurs de mousse, de terre humide et de champignons.

Le visage collé à la vitre du wagon, Cory regarde les éoliennes brasser l'air. Un type, assis à côté d'elle, lit une revue et jette de temps à autre des coups d'œil discrets dans sa direction. Elle refoule son reflet sur la vitre, se concentre sur la transparence. Tenter d'effacer l'image nauséeuse aux contours élimés. Tout lui revient en bloc, dans le mouvement des pales broyant l'air : un visage haï apparaît, comme sur un écran mal réglé. Cette présence démoniaque. L'homme-torture. Tout ce temps passé à respirer la peur, attendre les coups. Construire la haine.

Elle se souvient du dernier autobus dans son ventre, car « sur le visage, ça laisse des traces », disait-il fièrement en faisant craquer ses phalanges, comme un genre d'expert froid et méthodique.

« Bébé, on dirait que tu as encore fait une bêtise… C'est pas bien. Faut qu'on en parle. »

Il trouvait toujours un prétexte.

Et puis les coups arrivaient.

Ces coups qui avaient un jour décroché une vie dans son ventre. Juste le temps de la sentir battre avant d'expier sa faute dans le sang. Heureuse malédiction. Dieu sait ce qu'il en aurait fait.

Cet homme sans histoire qui saluait les voisins quand il les croisait prenait le temps de demander des nouvelles des uns et des autres. Dans ce village du nord de la France, où tout le monde se connaissait. Il rentrait chez lui le soir, le visage balafré d'un sourire, puant la sueur, comme un qui reviendrait de la guerre tout auréolé de gloire, avec une faim irrépressible au ventre, une sauvagerie sans nom. « Bébé, je suis rentré. » Il jouait un moment avec sa peur, avant de la prendre en hurlant, cognant. Elle cousait ses lèvres avec ses dents, jusqu'au sang, et son corps tout entier se repliait autour d'un tison de chair. La sensation d'être une charogne dépecée par un prédateur, suppliant le mâle plaisir d'arriver, le cœur humilié, ravagé. La devise du diable dans ces moments-là. Puis, n'en pouvant plus de sceller ses lèvres, elle mordait les draps pour ne pas crier, dans l'attente du déferlement. Une fois qu'il en avait terminé, elle s'en allait essuyer le sperme avec un gant enfoui en elle. Se purifier autant que possible. Ne sachant pas quand il reviendrait à la charge. Cette torture supplémentaire.

Au moins, l'affaire ne durait jamais longtemps. Les coups, oui. Ces coups qui avaient définitivement fait exploser son édifice de femme. Ces coups répétés à l'infini au travers de son corps scarifié. Ultime souffrance, bien au-delà de la douleur physique. Parce qu'elle ne s'était jamais habituée aux coups, et encore moins aux mots qui la détruisaient plus encore. Trop faible, et pas de justicier pour lui venir en aide, parce que Dieu ne faisait jamais de visite à domicile. Pas chez elle.

Elle aurait pu s'enfuir, mais ne s'y était jamais résolue. Pas assez de force, persuadée qu'il la retrouverait. Où qu'elle aille.

Cory se souviendrait toujours du dernier coup. La bascule. Ce qu'elle ne saurait oublier. Agenouillée sur le lino, le souffle coupé, les mains palpant sa chair meurtrie, comme si leur imposition pouvait faire disparaître les ondes maléfiques qui se dirigeaient vers son cerveau par un savant réseau d'engrenages toujours en place. Le moment précis où elle avait accumulé suffisamment de rage et de haine pour les transformer en force. Ce moment où il n'y a plus de raison de craindre la mort, puisqu'elle est là.

Quand l'homme-torture en eut assez de jouer ce jour-là, il se mit à lui caresser les cheveux en lui disant qu'elle était la chose la plus belle qu'il eût jamais tenue entre ses mains. Qu'il prendrait toujours soin d'elle. Le pire, c'est qu'il avait l'air sincère. Quand ses doigts s'attardèrent sur les deux os symétriques disposés à l'arrière de son crâne, Cory eut la sensation qu'il voulait les visser, les faire pénétrer encore plus loin et elle se retint de crier. Puis il croisa les bras en l'observant intensément, comme si elle devait obéir à un ordre qu'il n'avait pas besoin de lui donner, et elle se releva en prenant appui sur le buffet du salon, un cadeau de noces en bois solide. Il se redressa ensuite, le corps luisant de sueur, et la regarda se traîner jusqu'à la salle de bains et fermer la porte derrière elle.

Plus jamais. Plutôt crever.
En finir d'une façon ou d'une autre.
Plus ça.
Plus jamais.

Le divorce est prononcé depuis un mois.

S.O.S., services sociaux, avocat. Procédures interminables.

Personne à qui véritablement se raccrocher. Elle n'a jamais connu sa mère, disparue après sa naissance sans laisser d'adresse, et son père est mort d'un cancer il y a quinze ans.

Cory tint bon. Elle en bava longtemps, même après l'injonction d'éloignement. Il sait faire pour qu'on ne l'oublie pas. Jamais. Il connaît les façons. La croiser en faisant semblant d'être là par hasard. Mais le hasard n'a pas sa place dans son cerveau malade.

Pour tenter de s'en sortir, elle chercha du réconfort. Des alliés. Regagner un peu de confiance. Des gens l'écoutèrent, c'était leur métier. Mais toujours cette pitié qu'elle ne pouvait s'empêcher de lire dans leur regard. Le sentiment d'être une petite chose fragile inadaptée à la vie. Et cette présence démoniaque. Impossible de s'en débarrasser en restant à sa portée.

Elle perdit son boulot à la suite des multiples arrêts maladie. Ce travail dans une épicerie était sa seule dignité, son seul rattachement à une vie sociale. Les rares amis du couple lui tournèrent le dos les uns après les autres. Ne la crurent pas lorsqu'elle tenta d'expliquer pourquoi elle en était arrivée à quitter son mari.

Sa seule option : enfouir sa vie passée, ne pas l'oublier. Ne pas même essayer. Se réveiller enfin, après s'être laissé entraîner dans une rue bondée, au milieu d'un carnaval où apparaissaient hommes et femmes, visages dissimulés sous un même masque. Des hommes et des femmes qui disparaissaient en abandonnant leurs propres douleurs, dans le meilleur des cas, et au pire leurs tares les plus profondes. Comme cette collègue tellement bien intentionnée, dont elle tait le nom à sa mémoire, qui lui donnait sans cesse des leçons depuis qu'elle avait lu et digéré les interviews de psychologues dans *Télé 7 jours*, depuis qu'elle en connaissait un rayon sur la résilience et toutes les formes de souffrance. Des solutions toutes faites qu'elle jetait en pâture en manière de vérités. Ses vérités. « Penche-toi du côté de la vie, ma chérie », était sa maxime favorite, son point Godwin, en quelque sorte. Sa pensée culminante, à peine plus élevée qu'une taupinière.

Pauvre conne.

Cory a depuis toujours le sentiment de s'être penchée du côté de la vie. Dans le cas contraire, elle aurait définitivement basculé dans un cul-de-basse-fosse.

« Penche-toi du côté de la vie. »

Pauvre conne !

Avec un peu de chance, la collègue s'est cassé la gueule du haut de ses certitudes en expérimentant sa théorie.

La seule famille qui lui restait, la sœur de sa mère. Judith et son mari vivaient dans une ferme du centre de la France. Elle se souvenait d'eux à l'enterrement de son père. Plus rien depuis. Elle réfléchit longuement avant d'appeler. Le jour où elle se décida, c'est Virgile qui décrocha le téléphone. Il mit longtemps avant de comprendre à qui il avait affaire. Après tout ce temps. Elle voulut qu'il lui passe sa tante et, après une longue hésitation, il répondit que ce n'était pas possible, sans s'étendre sur la raison. Cory expliqua sa situation dramatique, la menace permanente de l'homme-torture, sa terreur de le savoir si proche. Elle demanda si elle pouvait venir quelque temps, histoire de respirer enfin, tenter de se ressourcer en retrouvant un peu de sérénité. Virgile dit spontanément que ce n'était pas possible, lui parla alors de la maladie de Judith, qu'il devait la surveiller « comme le lait sur le feu ». Cory se sentit désemparée, elle dit qu'elle ne gênerait pas, qu'elle l'aiderait, et Virgile la coupa sans ménagement, affirmant qu'il n'avait besoin de personne. Un long silence s'installa, puis Cory s'excusa de l'avoir dérangé. Un silence, à nouveau, comme du vide, puis Virgile lui demanda si elle ne savait vraiment pas où aller… Elle entendait la respiration de Virgile à l'autre bout du téléphone. Elle l'imaginait, à six cents kilomètres, luttant contre des émotions contradictoires.

Puis, il dit qu'il y aurait peut-être une solution, mais qu'il ne savait pas si ça marcherait, qu'elle n'avait qu'à le rappeler le lendemain.

Cinq jours plus tard, Cory est assise dans ce wagon, à fuir comme une criminelle en cavale. L'inconnu droit devant, qui vaut de toute façon mieux qu'une déchéance statique nourrie de haine. Fuir l'homme-torture, fanal de ses terreurs, creuset de chair de ses renoncements. Pour le reste, il sera temps de constater sur place si elle est capable de s'adapter, ou non. L'idée d'habiter dans une caravane lui a d'abord paru inconcevable, puis Virgile lui a longuement parlé de Georges, orphelin comme elle. Elle s'est dit qu'au pire elle repartirait, mais que pour le moment, elle n'avait pas d'autre choix.

Elle ne peut plus reculer. Personne ne lui dira désormais qui elle doit être, ni comment se comporter, bien décidée qu'elle est à s'affronter dans ce décor de sinusoïdes végétales et minérales qui défilent à toute allure derrière la vitre embuée, là où quelques humains semblent avoir accumulé suffisamment de folie pour vouloir y demeurer.

Planté sur le quai de la gare, abrité de la pluie par un auvent en Plexiglas, Georges tente de faire un peu de ménage dans son corps. Il pense à la façon dont il s'est laissé convaincre par Virgile, pour qu'il accepte d'accueillir cette Coralie dont il connaissait à peine l'existence et qui s'amène dans sa vie avec un drôle de barda sur les épaules. Et lui, qui n'a pas de place à offrir. Aucune femme n'est jamais entrée dans sa caravane, et encore moins dans sa vie.

Virgile a présenté la nouvelle, comme s'il s'agissait d'une question de vie ou de mort, un genre d'évidence. Comment refuser ? Virgile a toujours su y faire pour enfoncer gentiment dans sa caboche sa façon de voir les choses, si bien que, après coup, Georges enrage toujours de son manque de discernement, sans jamais être en mesure de revenir en arrière. Il se dit que cette fille n'a pas eu beaucoup de chance dans la vie, mais il n'est quand même pas le bon Samaritain. Il faudra que Virgile l'installe au plus vite dans le four à pain, ou qu'elle trouve une autre solution. Il a bien assez à faire avec sa peau.

Il se sent ridicule, mal à l'aise au milieu de ces gens qui attendent sur le quai, comme lui. L'impression que tout le monde le regarde en se moquant de son allure incapable de démentir sa condition de paysan. De temps à autre, il jette un coup d'œil au portrait que cette Coralie a envoyé à Virgile, une photo récente sur laquelle son regard semble démentir son sourire. Une seule fois aurait suffi pour la reconnaître.

Un employé en uniforme flambant neuf demande avec autorité à un jeune gars, qui s'est approché trop près des voies, de se reculer. Le train entre en gare et stoppe, après que la motrice, ainsi que deux wagons, ont dépassé Georges. Un premier passager ne tarde pas à descendre d'une voiture, traînant une énorme valise à roulettes. D'autres suivent tout le long du train, têtes penchées sur les marches, pareils à des pèlerins en procession.

Georges l'aperçoit maintenant. Regarde à nouveau la photo et ses doigts humides laissent des traces sur le papier glacé. Une fois descendue de la voiture, elle marche en observant les alentours, porte une valise dans chaque main et un sac en bandoulière dont la bride mord la base de son sein gauche. Il la laisse venir à lui et se met en travers de son passage, comme s'il parait une bête. Il tend une main hésitante en jetant des regards de côté, persuadé que les gens ne voient qu'eux. Ce sentiment que sa voix résonne à l'intérieur de son crâne, quand il parle.

— Je suis Georges.

Cory pose ses valises au sol, puis serre la main de Georges.

— Bonjour, Virgile m'a prévenue… c'est gentil d'être venu me chercher.

Georges relève les yeux sur ce visage vivant, aux traits tirés, si proche et en même temps si différent de la photo. On lui a appris que la beauté est une conception dépourvue d'utilité, mais en cet instant, il ne sait qu'en faire. Ce regard. Deux étincelles froides entourées d'eau transparente.

— On y va, bredouille Georges.

— Je vous suis…

— Je vais prendre vos valises.

— Merci, je veux bien.

Ils empruntent un escalier, qui débouche dans le hall, marchent sur des dalles lisses, puis sortent de la gare et slaloment entre des taxis, avant de rejoindre la voiture de Georges, garée le long d'un trottoir, cinquante mètres plus loin. Le train ressemble désormais à une scolopendre furetant timidement sur la voie ferrée et disparaît au terme d'un ample virage.

Ils quittent la ville par une route sinueuse. Durant la montée, la voiture reste coincée derrière un camion au hayon crasseux qui masque le soleil. Ils se débarrassent du bahut après avoir bifurqué sur une départementale en haut de la côte. Georges a l'air soucieux. Il tient à s'assurer que Virgile l'a bien mise au courant qu'elle va devoir habiter une semaine ou deux dans une vieille caravane calée sur des parpaings. *Il y a tout de même deux chambres de part et d'autre de la pièce principale, sept mètres carrés pour la cuisine et le séjour, une douche, des toilettes et une machine à laver le linge*, précise-t-il.

— Il n'y a pas de problème, dit-elle.

— Je préfère que les choses soient claires.

— Je suis désolée de m'imposer comme ça.

— J'ai pas l'habitude de vivre avec quelqu'un.

— En tout cas, je ferai tout pour ne pas vous gêner le temps que je vais rester.

L'ombre de grands arbres dessine le visage de la jeune femme sur le pare-brise. Georges entrevoit ce visage cloué sur un horizon éphémère balayé par le mouvement de la voiture. Il paraît concentré sur sa conduite, comme s'il abordait une nouvelle série de dangereux lacets. Une main agrippant le volant et l'autre posée sur le levier de vitesse, à deux doigts des jambes de cette femme inconnue, genou contre genou. Une vision s'arrache alors de sa mémoire. D'autres mains, d'autres jambes, qui flottent dans une forme d'éternité parabolique. Le père et l'homme, la mère et la femme. Le fils. Des images qui viennent percuter une zone indéterminée de son cerveau à la manière d'un blast. Et toutes ces questions qui affluent sans prévenir, dans le plus parfait désordre. Des questions jamais posées en plus de quarante ans. La véritable place des vivants et des morts, leur intimité supposée. L'infime défaut dans sa cuirasse. Une cuirasse qui a commencé à s'épaissir après la disparition des parents. Une cuirasse entamée par le parfum de la jeune femme, qui lui parvient grâce au courant d'air de sa vitre entrouverte, une dominante de chèvrefeuille qui tournoie dans l'habitacle en rinceaux olfactifs, donnant vie à un corps de bois enfoncé dans son crâne depuis toujours. Ce souffle. Ce trouble.

— Il fait un temps magnifique, dit-elle.

Georges met un instant à réagir, comme s'il devait se convaincre qu'elle s'adresse bien à lui.

— Vous arrivez au bon moment, on a eu pas mal d'orages ces derniers jours.

— On pourrait peut-être se tutoyer, non ?

— …

— Je ne t'oblige pas.

— J'imagine que ça peut venir, dit Georges, le regard agrafé sur le ruban défoncé de la route.

Ils traversent des villages, longent des prairies clôturées dans lesquelles paissent des troupeaux, et d'autres, désertes, et aussi des forêts indifféremment mêlées de feuillus et de conifères. Deux cerneaux de silence enfermés dans la coque d'un break. Sur le bas-côté, des fils électriques pendent entre des poteaux en bois recouverts de capuchons noirs, semblant répéter un sourire triste à l'infini. Les habitations se raréfient. Parfois, l'étroite route transperce un étang à fleur d'eau, avant de remonter à l'assaut de petites collines, que des hommes présomptueux, ou ignorants, ont un jour appelées montagnes.

Sombrant par intermittence dans des entrelacs de sommeil, le chasseur est assis près du feu qu'il a entretenu toute la nuit, pour le laisser mourir au matin. Sa carabine est installée en travers de ses jambes, à l'indienne, et ses yeux à demi ouverts sont occupés à accueillir la lumière du jour. De temps à autre, il porte une tasse en fer-blanc remplie de café tiède à ses lèvres, puis la repose sur la crosse ternie de son arme. Quelques gouttes de rosée ruissellent sur son poncho imperméable passé par-dessus sa veste, se rejoignant dans les plis aux allures de ruisseau.

Les cimes des pins sylvestres déchirent la brume, et la lumière crépite à feu doux sur leurs aiguilles. Un duc lance une dernière note, avant de s'évanouir vers son couchant. Des feuilles mortes accumulées au sol se mettent à bruire au passage de petites créatures apeurées.

Son café bu, il se lève et pose la carabine contre le fût rectiligne d'un jeune chêne. Il piétine ensuite les cendres en prenant soin d'éviter le centre du foyer.

Il plonge une main dans une poche de pantalon, en sort un couteau et déplie la lame épaisse assurée par un cran de sûreté. De la pointe, il dégage ensuite une masse noirâtre des cendres, de la taille d'une grosse tomate, et la fait rouler hors du feu. Deux longues incisives, pareilles à un fermoir de coffret, dépassent du crâne du ragondin que le chasseur a tué la veille, posté à l'affût au bord de l'étang. Le crâne refroidi, il entreprend de retirer les chairs calcinées encore agrippées à l'os à l'aide de son couteau. Par instants, il tend à bout de bras la chose fragilisée par la chaleur du feu, traquant la moindre fibre organique oubliée en utilisant la lame, comme s'il s'agissait d'un scalpel, afin de magnifier son œuvre considérable.

Une fois le crâne poli et débarrassé de toute impureté, il taille et épointe une fine baguette de bois sec. Puis il fixe le crâne sur la baguette et la plante dans la terre à proximité de son campement. Là, il dit une prière, rameutant des choses apprises dans un passé lointain, et d'autres qui lui viennent naturellement en de telles circonstances. Il serre toujours le manche de son couteau dans sa main, à faire saillir les tendons de ses avant-bras. Rejette sa tête en arrière et ferme les yeux, le temps de laisser flotter quelques secondes, puis son corps se détend et il crache de côté, manière d'expier ce qu'il ne semble encore vouloir nommer, mais qu'il sait pouvoir le sauver ici-bas.

Le chasseur rassemble ses affaires, les fourre dans son sac à dos et se tient un moment immobile, épiant les environs, la nature en éveil. Rassuré, il descend jusqu'à la rivière, lave ses ustensiles et s'asperge le visage d'eau fraîche. Contemple un instant son reflet. Puis, l'image se trouble, vite emportée par le courant, et une autre apparaît, celle d'un autre crâne, maintes fois poli de ses mains. Un crâne bien plus gros que celui d'un simple ragondin, bien plus complexe.

Assis dans la cuisine, Virgile fait tourner l'enveloppe dans ses mains, une de celles qu'il reçoit chaque mois à date fixe. Il n'a pas besoin de l'ouvrir pour savoir ce qu'elle contient. À force, il finit par ne plus sentir le contact du papier sur ses doigts tarabiscotés par les tournures de l'existence. Ses doigts aux ongles carrelés dans une pulpe couleur d'ambre. Ses doigts qu'il ne parvient plus à déplier entièrement, qui ont tant agrippé, tant façonné de choses encore existantes et d'autres, détruites depuis longtemps. Des mains qui ne se sont sûrement pas assez diverties, qui ont brouillé tant de pistes et effacé des traces. Mais tout cela est de l'histoire ancienne. Plus les mêmes mains. Plus le même cœur qui les anime.

Une éternité qu'elles lui parviennent, ces satanées lettres, avec une terrifiante régularité. Il se souvient du temps où l'adresse était inscrite à la main, pas à la machine. Pour le reste, même format, même épaisseur. Il a longtemps espéré que quelqu'un quelque part finirait par se lasser de les lui envoyer, mais ça n'est pas arrivé, elles reviennent toujours tambouriner à sa porte avec la même obstination que le sang d'une femme fertile. Il n'a rien fait pour qu'il en soit autrement. Jamais.

Dehors, le chien se met à aboyer. Virgile se lève en prenant appui sur le rebord de la table, sans lâcher l'enveloppe, et s'approche de la fenêtre. Il entend le bruit d'un moteur de voiture qui remonte le chemin. Recule vers la cuisinière, sans quitter la fenêtre des yeux, soulève la plaque du fourneau et jette la lettre dans le feu sans l'ouvrir. Puis il sort.

Le chien gueule en suivant la voiture de Georges et l'accompagne jusqu'à ce qu'elle se gare le long du mur arrière de la grange de Virgile, près d'un antique semoir crotté de fientes de volailles.

Virgile traverse la cour, les mains enfoncées dans les poches de sa salopette en toile bleue, à en faire exploser les coutures. Il distingue la silhouette de la fille qui apparaît et reste un instant appuyée au montant de la portière. Il se demande juste ce qu'elle se dit en posant les yeux sur le bassin à la surface duquel surnage une prairie de lentilles d'eau, et, un peu plus loin, sur le verger aux arbres recouverts de lichen.

Georges sort deux grosses valises du coffre. La fille propose de l'aider, il refuse et claque le hayon. C'est seulement en se retournant qu'ils remarquent la présence de Virgile, immobile au milieu du chemin, comme une porte fermée.

— Bonjour, dit-elle timidement en s'approchant de Virgile.

— Bonjour… Coralie, c'est ça ?

Elle tend une main en direction de Virgile.

— Tout le monde m'appelle Cory.

Après tout ce qu'elle a vécu, Virgile se demande ce que peut bien signifier ce « tout le monde », si elle n'a pas volontairement raboté son prénom pour se faciliter la tâche. Tout en serrant la main de la fille, il se tourne vers Georges, resté en retrait, et ses lèvres bougent à peine, à la manière d'un ventriloque qui chercherait à dire autre chose que ce qu'il pense.

— Vous avez pas eu trop de circulation ?

— Ça a été, dit Georges.

— Merci de m'accueillir, dit Cory.

— C'est plutôt Georges qu'il faut remercier, pour le moment.

Cory se tourne vers Georges en esquissant un sourire.

— Bon, je te laisse t'installer…

— Comment va tante Judith ?

La question semble prendre Virgile au dépourvu et il serre ses poings au fond de ses poches.

— Elle se repose, dit-il sèchement.

— Je pourrai la voir ?

Virgile relève la tête en direction de Georges, avec aplomb.

— Le voyage a dû être fatigant, tu devrais lui montrer la caravane.

— Venez, dit Georges.

Georges ouvre la marche et le couple s'éloigne, remonte le chemin jusqu'au portail. Il pose les valises au sol, soulève la clenche, ouvre et laisse passer Cory la première, avant de lui emboîter le pas et de bâcler le portail derrière lui. Des copeaux de lumière giclent sur la coque de la caravane et s'éparpillent dans le ciel transparent, ou s'en vont se ficher sur la façade de la maison.

Virgile reste là, à fixer le chemin désert, et ses yeux sont comme deux chancres sur un vieux tronc desséché.

Assis sur une botte de paille dans la bergerie, Virgile se remémore la silhouette élancée, les cheveux très longs et très bruns de Cory, son visage. Il ne l'avait pas revue depuis l'enterrement de son beau-frère. Il ne l'aurait pas reconnue, même avec des yeux tout neufs. *Elle aura beau faire tout ce qu'elle peut, elle arrivera jamais à passer inaperçue*, se dit Virgile. Il a bien conscience que ce n'est pas un cadeau qu'il fait à Georges. Il espère qu'il va s'en sortir avec elle. Lui, il a d'autres chats à fouetter.

— Tu es en pleine méditation, à ce qu'on dirait, dit Karl, les coudes posés sur le rebord du battant inférieur de la porte de la bergerie.

Virgile sursaute et se tourne vers son ami, avec la sensation inconfortable de s'être donné en spectacle.

— Y a longtemps que t'es là à m'espionner ? dit-il d'une voix agressive.

— Non, qu'est-ce que tu vas chercher ?

— Tu veux quoi ?

— Je viens de voir Georges avec une femme.

— Et alors ?

— Il portait ses valises.

— …

— J'avoue que j'y croyais pas.

Virgile se lève de la botte de paille, se racle la gorge, crache et écrase le mollard sous son pied. Puis il dit d'une voix claire :

— Moi non plus.

— T'étais au courant ?

— Évidemment.

— Et tu m'as rien dit !

— J'aurais dû ?

Karl balance la tête de côté.

— Jolie fille, dit-il.

— Tu leur as parlé ?

— Ils m'ont pas vu.

Karl prend un air pensif et se met à gratter une crotte d'hirondelle séchée sur le montant de la porte.

— Bizarre qu'une fille de ce genre vienne se perdre ici.

— De ce genre ?

— Avec tout le respect que j'ai pour Georges, j'ai du mal à imaginer qu'elle est ici pour ses beaux yeux.

Virgile prend un air cynique.

— C'est vrai que t'as l'air d'en connaître un rayon sur la question.

— Un peu, figure-toi.

— Visiblement pas suffisamment pour être convaincant.

— Tu sais peut-être pas tout, dit sèchement Karl.

— Qui te dit que j'en ai envie, répond Virgile sur le même ton.

Karl ne renchérit pas. Changer d'aiguillage sur le ton de l'humour :

— En tout cas, même si c'est pas la bonne pointure, il aurait tort de s'en priver. Je t'avouerais même qu'il fut un temps où j'ai cru qu'il les aimait pas, les chaussures à talon, et qu'il préférait un autre genre de godasses… Enfin, tu vois ce que je veux dire, fait Karl en clignant d'un œil.

— Non, je vois pas.

— Tu parles… Enfin, c'est sûr que ça aurait pas été le meilleur chemin pour faire un héritier. Maintenant, tous les espoirs sont permis.

Virgile se dirige vers la porte et pousse le battant sur lequel s'appuie toujours Karl, qui recule en levant les mains en l'air.

— Qu'est-ce que j'ai dit qui t'agace à ce point ?

— Cette fille.

— Ben quoi, cette fille ?

— C'est la nièce de Judith.

— Merde, pourquoi tu m'as fait marcher tout ce temps… ça t'amuse ?

— J'ai juste répondu à tes questions.

— Ça change tout, ça, dit Karl comme s'il venait d'apprendre une mauvaise nouvelle.

La première demande, Virgile s'en souvient avec la plus parfaite précision. Ce qu'il ne comprit pas sur le coup. Karl vivait aux *Cabanes* depuis plusieurs mois et passait chaque jour faire un tour chez lui.

Une matinée ensoleillée d'été, Virgile était occupé à laver des jarres en terre cuite à grande eau, de celles qu'on utilise pour conserver le petit salé. Karl proposa de l'aider.

— Merci, mais j'ai fini, y a plus qu'à les laisser sécher au soleil.

— Tu vas faire quoi, maintenant ?

Virgile sortit un paquet de Gauloises froissé et un briquet de la poche ventrale de sa salopette.

— J'ai rien qui presse.

— Tu peux me rendre un service ?

— Si c'est dans mes cordes.

Karl attendit que Virgile allume sa cigarette en emprisonnant la flamme du briquet dans sa main gauche. Il n'y avait pas le moindre souffle de vent.

— J'aurais besoin que tu me fasses les mains.

— Que je te fasse quoi ? demanda Virgile incrédule.

— C'est une expression. J'aurais besoin que tu me bandes les mains pour enfiler mes gants de boxe. Tout seul, c'est un peu compliqué.

Virgile s'emballa, avec la cigarette collée par de la salive tachée, qui se balançait entre ses lèvres et la fumée qui sortait de sa bouche par petites bouffées biscornues.

— Ça va pas bien. J'ai jamais fait une chose pareille.

— Je peux t'apprendre.

— Avec qui tu comptes te battre ?

Karl se mit à sourire.

— Personne, c'est juste pour pas m'esquinter les mains en tapant sur mon sac de frappe… J'ai besoin de me défouler en ce moment.

— M'est avis qu'y a d'autres façons de se défouler que de taper sur quelque chose.

— C'est celle qui me convient depuis toujours.

— C'est quand même un drôle de truc que tu me demandes. Tu t'en rends compte, au moins ?

Une forme de panique finit d'envahir Virgile, même s'il s'évertuait à n'en rien montrer. Il n'avait jamais touché les mains d'un autre homme, à part celles de Georges quand il était enfant. Et aussi celles de son père. Prendre les mains d'un autre homme était inimaginable. Un contact contre-nature.

— Qu'est-ce qui te chagrine ?

— J'ai pas envie de faire ça, c'est tout.

Karl posa une main sur l'épaule de Virgile.

— Prends ça comme une marque de confiance.

— Enlève ta main, nom de Dieu !

Karl retira aussitôt sa main.

— De quoi t'as peur ?

— J'ai pas peur, j'aime pas ça, c'est mon droit !

— Si, je vois bien que t'as peur.

— J'te dis que j'ai pas peur.

Virgile regarda la vapeur d'eau danser au-dessus du lavoir, le temps de soupeser la drôle de situation. Karl laissa agir sa remarque sur la peur éventuelle de son ami, une habile façon de rameuter sa fierté.

— Tu peux vraiment pas y arriver tout seul, à faire ton cinéma ?

— Je te le demanderais pas, sinon.

Virgile finit par suivre Karl chez lui. Le cours eut lieu dans la cuisine. Chaque étape détaillée. Virgile, attentif, observait la démonstration, prêt à reproduire les gestes enseignés. Karl présenta d'abord sa main droite au-dessus de la table, paume vers le bas, en écartant les doigts et sans faire le moindre commentaire. Virgile se mit à plaquer consciencieusement des morceaux de coton sur les phalanges en tremblant légèrement. Puis il recouvrit entièrement la main avec l'adhésif, laissant les extrémités libres, de sorte que cela ne gênât en rien les mouvements de Karl dans ce qu'il aurait à faire. La droite terminée, Karl déroula les extrémités de ses doigts et les enroula plusieurs fois de suite, à la manière d'un pianiste qui s'apprête à en découdre avec le clavier. Visiblement satisfait du résultat, il tendit la gauche sans relever les yeux.

Après l'opération, Karl présenta ses mains devant lui, au niveau de ses yeux.

— Tu t'es débrouillé comme un chef.

Virgile se détendit, soulagé d'en avoir terminé.

— Va quand même pas taper trop fort sur ton machin, des fois que ça tiendrait pas le coup, dit-il, les yeux rivés aux bandages.

— T'inquiète pas, j'ai l'habitude.

— Remarque, avec un plâtre à chaque main, t'aurais plus besoin de gants, dit Virgile avec un sourire en coin.

Depuis ce moment, le rituel se répète régulièrement, souvent le matin, selon les disponibilités de Virgile, sauf le dimanche, le jour où Karl se rend à la messe à l'église de Bugeat.

*

Un long silence enfle dans l'espace de la cuisine. Karl se lève et disparaît dans l'étroit couloir qui mène à sa chambre à coucher. Il réapparaît peu après en tenant une vieille boîte à biscuits en fer qu'il pose sur la table, puis se rassoit face à Virgile, verse une rasade de vin dans chaque verre et boit. Il retire ensuite le couvercle de la boîte et sort un paquet de coton, des bandages et un rouleau de Strappal. Dix minutes plus tard, il contemple ses mains.

— Parfait, comme toujours.

— Tu serais bien en peine de te rappeler la fois où je me suis pas appliqué.

Karl regarde Virgile en souriant.

— Peut-être la fois où on était saouls tous les deux. Tu te rappelles pas ?

Virgile jette le rouleau de Strappal, le coton et les ciseaux dans la boîte en fer.

— Cette fois-là, peut-être.

— Je me souviens que je me suis endormi avec et que je me suis marré en voyant le désastre le lendemain matin.

— Tu t'étais peut-être battu pendant la nuit.

— Si c'est le cas, il a dû en prendre plein la gueule, l'autre.

— Faudra quand même un jour que tu me racontes le plaisir que t'avais à taper sur quelqu'un.

Karl se ferme brusquement.

— Un jour, dit-il.

On peut entrer dans l'écurie par deux portes distinctes, l'une donnant sur d'anciens box, l'autre sur une partie cimentée et surélevée d'une cinquantaine de centimètres, là où l'on entreposait le foin par le passé, un endroit désormais rempli d'un innommable bric-à-brac : outils, objets cassés, usés, dont l'utilité semble s'être perdue et que les héritiers n'ont pas emportés, ne pouvant probablement les monnayer. Clovis n'a jamais possédé le moindre cheval de toute sa vie, et ses parents non plus, a dit Virgile. Écurie, le nom est néanmoins resté pour affirmer ce que personne ne peut plus vérifier, sinon les deux harnais poussiéreux et le licou encore accrochés à l'un des murs.

À l'aplomb d'une zone dégagée et balayée, un sac rempli de sable pend à une poutre. Karl dénoue la corde qui le maintient au niveau de la ferme, quatre mètres plus haut, et le fait descendre à hauteur d'homme. Après quoi, il noue solidement la corde à un anneau en fer qui servait dans le temps à attacher une bête.

Karl porte une chemise aux manches déchirées qui laisse voir ses avant-bras et ses biceps puissants. Chaussé de ses baskets fétiches ornées de multiples craquelures, il enfile ses gants, les lace et se met à sautiller d'un pied sur l'autre tout en lançant des droites et des gauches à courte distance dans le vide. L'échauffement dure quelques minutes, puis il s'approche du sac, le caresse du plat des gants, tourne autour et se met à frapper avec de plus en plus de violence. Les impacts résonnent comme des grands coups de soufflet, et Karl expulse de l'air par sa bouche chaque fois qu'il détend un bras pour frapper et inspire en les repliant contre son visage pour se mettre en garde. Des gouttes de sueur giclent de ses cheveux quand il touche et s'embrasent dans les rais de lumière provenant d'ardoises endommagées. Toujours la même fureur, celle qui lui a pourtant manqué, le jour où il a mordu la poussière, à mi-chemin du cinquième round, face à ce type qu'il ne parviendrait jamais à oublier.

Épuisé, Karl délace ses gants avec ses dents, dénoue la corde et remonte le sac. Le bruit que fait la poulie en tournant ressemble au couinement délicat du crapaud accoucheur, les soirs d'été. Le calme revenu, des moineaux entrent et sortent par l'entrebâillement de la porte de l'écurie, sans plus se soucier de l'homme adossé au mur, qui retire les bandages pendant que son corps redescend lentement en température et que la fureur s'en retourne, pour un temps, quelque part entre ses côtes.

Le regard de Cory bascule d'une vision à l'autre : une antique caravane, émergeant des herbes folles, comme elle en a seulement vu dans de vieux films américains en noir et blanc, une petite maison en pierres disparates, aux joints creusés, aux volets fermés et au toit recouvert d'ardoises assaillies d'algues et de mousses, un long fil à linge tendu entre des piquets en fer, qui semble vouloir relier l'une et l'autre sans y parvenir, et, tout autour, une clôture grillagée maintes fois rafistolée. Une boule d'angoisse grossit dans son ventre à la vue de ce déplorable spectacle. Elle serre son sac contre sa poitrine et avale lentement un filet d'air nauséabond.

Georges, resté en arrière, sent le trouble de la jeune femme, comme s'il prenait subitement conscience de l'endroit où il vit.

— Je vous fais visiter ?

Cory se tourne vers lui en esquissant un sourire scellé. Elle semble se forcer ainsi à emprisonner des mots qu'elle ne saurait maîtriser.

Georges la précède à l'intérieur de la caravane. À peine entrée, Cory est impressionnée par l'ordre qui règne et abasourdie par la quantité de livres qui jouent des coudes sur les meubles de la pièce principale et sur des rayonnages. Georges lui explique d'où ils viennent, comme s'il avait à se justifier de les posséder. De sa vie, elle n'en a jamais vu autant, à part dans les bibliothèques qu'elle a fréquentées.

— Les toilettes et la salle de bains sont là-bas, dit Georges en relevant la tête en direction d'une porte.

Les valises en main, il navigue difficilement entre l'évier et la table en formica, jusqu'à une autre porte qu'il pousse de l'épaule.

— Votre chambre… il n'y a pas de poignée, mais il y a un verrou à l'intérieur, comme à toutes les autres portes.

— Très bien.

— Je vous laisse vous installer.

— Merci.

Georges ressort de la chambre pour céder le passage à Cory.

— Je vais préparer quelque chose à manger… vous devez avoir faim.

— Non, merci, ce n'est pas la peine, je crois que je vais me reposer un peu et déballer mes affaires.

— Comme vous voudrez, si jamais vous changez d'avis…

— Georges !

— Oui.

— Je n'ai pas beaucoup de moyens, mais j'aimerais participer aux frais, enfin, dans la mesure…

— Il n'est pas question de ça.

— Vous aider au moins, si c'est possible.

— On verra.

— Merci encore, je sais que ça ne doit pas être évident pour vous, de m'accueillir.

Georges se tourne vers la porte d'entrée de la caravane.

— Si je suis plus là quand vous sortirez, c'est que je suis parti soigner mes bêtes.

— D'accord.

Georges entend la porte de la chambre se refermer. Son regard dérive sur les livres. Une vision rassurante. Il fait le point sur certains noms, « les illustres » comme il les nomme, ceux qui lui ont permis de croire un jour qu'il était possible de regarder le vaste monde d'en haut. Se dirige vers un rayonnage, saisit *Hamlet* sans la moindre hésitation, le feuillette, s'arrête à une page cornée et lit :

Qui voudrait porter ces fardeaux, gémir et suer sous une vie accablante, si la crainte de quelque chose après la mort, de cette région inexplorée, d'où nul voyageur ne revient, ne troublait la volonté, et ne nous faisait supporter les maux que nous avons par peur de nous lancer dans ceux que nous ne connaissons pas ? Ainsi, la conscience fait de nous des lâches ; ainsi les couleurs natives de la

*résolution pâlissent dans l'ombre de la pensée ; ainsi les
grandes entreprises se détournent de leur cours.*

Georges referme le livre, demeure un instant immobile à fixer la porte de la chambre, et le replace à l'endroit où il l'a pris.

Ce soir-là, quand Virgile entre dans la chambre, Judith est assise sur le lit et pleure. Il s'assoit et la prend dans ses bras en lui disant qu'elle a dû faire un cauchemar, qu'il est là, qu'elle peut désormais dormir tranquille.

Ce soir-là, il s'allonge près d'elle, tout habillé, son corps bousculé par les sanglots de Judith.

Ce soir-là, un monde s'éteint sous les paupières de Virgile, et il n'y a pas sur terre un homme plus conscient de cette perte que lui.

Le chasseur arpente le Plateau depuis le matin. Il explore d'anciennes carrières. Sur les hauteurs du cirque rocheux mué en égratignure dans le regard hautain du circaète, des buissons de genêts fabriquent une perruque ridicule dont les tiges charbonnées claquent dans le vent en essaimant une poussière de mirobolants gamètes. Le godet rouillé d'une pelleteuse gît au milieu des ronces et des orties, coquillage abandonné, témoin du passage d'une race disparue. Il s'attarde sur les murs de granit découpés en strates, sur lesquels, parfois, de délicates silhouettes fossilisées de trilobites et de fougères semblent défier l'éternité dans un rire calcifié. Du bout des doigts, il en suit les excroissances, comme si une de ses missions, et non la moindre, était de s'inscrire lui-même dans la roche. Une mission fidèle à sa démesure, tout juste digne. Avec la sensation de palper le sang figé de cette terre.

Tout près de là, il s'approche de l'entrée d'une grotte en partie masquée par des broussailles. Y pénètre et dérange quelques chauves-souris suspendues qui s'en vont plus profondément dans un dédale d'obscurité. Il écoute le silence gratifiant, devine la forêt d'animalcules dépigmentés dénouant leurs pattes sur la poussière humide, se sent accueilli dans ces entrailles floutées d'où suinte un suc alcalin. Ces profondeurs oisives creusées par une rivière asséchée depuis. Un lieu sans aube ni crépuscule. Un temps sans aiguilles.

À la lumière du jour, dans l'air malmené par des coulées de vent, il s'enfonce dans une litière d'atomes. Marche. Être mimétique, intime de la roche, avec la sensation d'en sentir la respiration. Cette roche dressée, dominant la lande noyée, ce corps offert et convoité, les odeurs mélangées qu'il tente de dissocier pour se fabriquer un lexique fidèle, à la hauteur de son projet. Les animaux sublimés par la traque, ceux qui déjouent un temps sa ruse et finissent toujours par rendre les armes, face à la science du chasseur. Les humains, il les observe habituellement dans la lunette de sa carabine, de loin. Les humains, c'est un autre gibier qu'il n'est pas forcément utile de tuer. Détruire peut suffire. Humilier aussi.

Le sommeil n'en finit pas de fuir Georges. Il épie les bruits nouveaux qui pourraient apparaître, et n'en décèle aucun. Une main invisible lui triture le ventre et se referme puissamment partout où elle s'enfonce. Il refoule tout en bloc sans chercher à comprendre, incapable de tirer quelque conclusion que ce soit.

Il y a cette femme qui dort à côté, qu'il ne connaît que par ce que Virgile lui en a révélé. Vrai ou faux. Ce n'est pas la première fois qu'on lui force la main et qu'il se laisse faire. Il en vient à douter des raisons de sa présence. Pour se rassurer, il estime que ses doutes relèvent probablement d'une réaction naturelle d'autodéfense. La carapace. Il n'a pas osé poser de question. Malgré toutes les interrogations qui traversent son esprit, ce qui est sûr, pense-t-il, c'est que l'arrivée de cette femme va mettre du désordre dans sa vie. Un désordre de quelle nature ? Il n'en sait rien. Nullement préparé à une telle éventualité. Il retient le mot « perplexité » en repensant à la mécanique intuitive qui s'est mise en route alors qu'ils roulaient vers *Les Cabanes,* à peine partis de la gare. Quand la conscience sermonne, pour la forme, l'inconscient qui n'en fait qu'à sa tête et qu'ils finissent par s'entendre comme larrons en foire. Georges voudrait rejeter le mot « trouble », mais n'y parvient pas. Personne ne l'a préparé à l'émotion, et encore moins au désir.

Personne n'est jamais entré dans sa vie. Trop occupé à fouiller la terre. Et à présent, alors que cette femme n'est pas ici depuis un jour, elle semble avoir débloqué un rouage condamné sans qu'il soit en mesure d'évaluer les conséquences à court et encore moins à moyen terme.

Une lucidité viscérale l'a toujours préservé de toute forme de bonheur. La conscience aiguë de l'ampleur de ses tares affectives, son incapacité à se débarrasser d'une culpabilité sans identité. Une culpabilité qui le ramène immanquablement à son statut précaire d'humain passager, le gardant de la suffisance dont il pourrait faire preuve, malgré lui, les nuits sans lune, quand le vide le prend et qu'il est tenté de le combler par une haine rassurante du monde. Obscur coupable. Ce monde-là, exactement, serti de milliards d'yeux qui l'observent et le jugent, non pas pour le fait d'oublier, mais pour celui d'y songer seulement.

Depuis qu'elle est arrivée, la veille, Cory n'est pas sortie de la chambre. N'a pas dormi de la nuit, luttant pour ne pas se laisser trimbaler dans un rêve aux allures de cauchemar. Ces moments où elle sombre. Ces moments de perte de contrôle qui abolissent son emprise sur la mort.

Dans la pénombre matinale, assise sur le lit, genoux repliés contre sa poitrine et bras autour de ses tibias, elle fixe la porte au verrou tiré. Ses yeux, habituellement vert pâle, semblent recouverts de neige. Vigie accrochée tout en haut du mât de misaine, qui cherche à rassembler des épaves flottant dans son regard. Elle pense au monde des hommes. À son père qui n'a jamais voulu lui parler de sa mère, ou trouvé la force de le faire. Qui l'a élevée, sans véritable marque d'affection. Sans amour. Cory a la sensation d'avoir passé son enfance en compagnie d'un animal triste, juste là pour veiller à sa sécurité. Sans mots, ou presque. Un animal qui se serait laissé vieillir prématurément.

Raccourcir le chemin qui mène à la mort semblait être la seule ambition de son père. La maladie avait été comme une suite logique à cet *embarras*. Il n'avait pas combattu et s'était consciencieusement laissé bouffer. À l'époque, Cory était en âge de se débrouiller seule. Elle l'avait vu se ratatiner, jour après jour, comme une patate oubliée au fond d'une cave, sa peau recouverte de germes cancéreux. Le corps flasque, presque diaphane de ce père qui s'était évertué à faire disparaître sa mère et s'était définitivement acquitté de sa mission en mourant lui-même.

Cory avait ressenti une forme de soulagement après son décès, comme si elle quittait une prison, un soleil aveuglant en pleine face. À se croire désormais invulnérable dans la naïveté de ses vingt ans. Sa beauté, sa grâce, qu'aucun homme n'aurait osé remettre en question.

Elle abandonna la fac et trouva vite un boulot dans une épicerie du village. Pas Byzance, mais suffisant pour vivre, payer un loyer. Pour l'instant. Une vie en roue libre, ne sachant pas de quel droit elle demanderait mieux. Effleurer les contours des êtres et des choses lui allait bien. Sa conception de la paix.

Puis, elle croisa l'homme-torture, qui n'était pas encore l'homme-torture, tout le contraire, même. Il passait faire ses courses une à deux fois par semaine à l'épicerie. Ils avaient tout naturellement engagé la conversation, s'étaient trouvé des points communs. Cory ne savait pas encore qu'il l'épiait depuis longtemps. Tout ce qu'elle voyait, c'était qu'il s'intéressait à elle différemment des étudiants qu'elle avait connus jusque-là. Sans impatience. Un soir, il avait attendu plus d'une heure sous la pluie qu'elle débauche, simplement pour faire quelques pas avec elle, puis lui avait souhaité une bonne soirée sans demander plus. Quand un autre l'aurait invité à boire un verre, parade habituelle pour finir dans un lit, rentabiliser au mieux son investissement. Non, lui, il prenait le temps de l'apprivoiser un peu plus chaque jour, dispersant quelques miettes supplémentaires de complicité, jusqu'à ce qu'elle devienne accro à sa présence, incapable de voir la toile se tisser. Tous ces manques en elle, qu'il comblait. Elle était tombée dans le panneau, avait fini par donner sa confiance sans condition. Rien vu venir. D'ailleurs, elle serait bien incapable de se souvenir du moment précis où il se transforma en homme-torture, ni quand elle devint son esclave, sa proie intime. Et probablement même qu'il n'y eut pas d'instant précis, que le processus fut aussi lent qu'un étang qui se remplit d'eau de pluie.

Son père et l'homme-torture : le premier s'est abîmé au royaume des absents, et le second se rangera pour toujours du côté des invisibles. Au plus profond, elle sait qu'elle n'en a pas encore terminé avec l'homme-torture. La seule chose qui compte pour l'instant : il est physiquement à distance. Une tumeur suspendue dans son corps de femme, pareil à un fœtus malade relié au placenta de sa haine. Et un jour, peut-être, décider, elle seule, d'avorter avant terme de ce souvenir, tant que le cœur bat encore. Qu'elle le sent battre. Pour finir par le balancer sur un tas d'ordures. Libérée.

Des pas étouffés de l'autre côté de la paroi en papier mâché sortent Cory de sa torpeur. Un supplément d'air enfle ses narines. Une porte s'ouvre en chuintant. Se tait. Georges est levé. Elle ne sait que penser de cet homme bourru à qui Virgile n'a pas laissé d'autre choix que de la loger. Il a l'air franc et honnête, attendrissant, mais c'est d'abord un homme, pour ce qu'elle connaît d'eux. Même si Virgile l'a prévenue, elle était loin de s'imaginer l'indigence du hameau, son isolement. Elle a pensé un court instant faire demi-tour en découvrant la ferme de Georges. *Pour aller où ?* Elle se dit qu'ici, au moins, elle est à l'abri, dans cette caravane cabossée, cette drôle de coquille argentée décollée du sol. Et justement, en y réfléchissant, c'est précisément ce que réclame son corps en ce moment : flotter sans se projeter. « Espérer » ne fait plus partie de son vocabulaire. « Survivre », peut-être.

La lumière du jour naissant dessine un graffiti sur le hublot de la chambre. Georges se lève, s'habille, file jeter un peu d'eau sur son visage au-dessus de l'évier de la cuisine. Il met du café à couler, puis ouvre délicatement la porte de la caravane. Le joint en caoutchouc émet un bruit de succion. Il ne referme pas complètement, de peur de réveiller la jeune femme, et s'assoit sur le marchepied. Le soleil qui émerge par-dessus les collines ressemble à une boule de glace à la mangue. Une pie posée sur le faîtage de la maison égrène des notes récurrentes qui sonnent comme la crécelle d'un lépreux. La ligne d'horizon grossit à vue d'œil, vacillant sur la canopée des taillis que commence à dépecer l'automne en marche.

Un tel spectacle n'est jamais parvenu à émouvoir Georges. Il n'existe pas de beauté sur le Plateau, au sens où il entend ce mot. Pas d'émotion palpable, rien que le froid déroulement du temps. La beauté, il la trouve d'ordinaire dans les livres, et aujourd'hui, malgré lui, chez cette fille qui dort peut-être encore.

Le plancher crisse à l'intérieur de la caravane et la porte s'entrouvre derrière lui.

Il résiste un court instant à l'envie de se retourner. Se retourne.

Cory porte un bas de survêtement bleu nuit et un t-shirt blanc trop grand. Ses cheveux sont défaits et ses pieds sont nus. Son visage est impassible. Elle semble errer dans un monde parallèle fait de souvenirs successifs, qui apparaissent puis disparaissent.

— Je vous ai réveillée ? demande Georges.

— Non.

— Vous avez bien dormi ?

Cory esquisse un sourire.

— Et toi ? dit-elle.

Le regard de Georges se perd.

— Pas vraiment, dit-il.

— Beaucoup de changements d'un seul coup, n'est-ce pas ?

— Une ferme, ça tracasse pas mal.

— Ma proposition tient toujours, si je peux t'aider.

— Pour l'instant, vous devez surtout avoir besoin de prendre vos marques.

— Est-ce que le village est loin d'ici ?

— On était à moins de cinq cents mètres du bourg, quand j'ai tourné au panneau *Les Cabanes,* hier. Vous vous souvenez ?

— Oui, très bien. Il y a des commerces ?

— Plus un seul depuis longtemps. Le boulanger de Viam passe deux fois par semaine, les lundi et jeudi, c'est tout. J'imagine que vous ne pensiez pas atterrir dans un trou pareil.

— Ça ne me dérange pas.

Georges lève les yeux vers la maison de ses parents.

— Ce qui est sûr, c'est qu'il n'y a pas plus calme pour passer à autre chose.

Cory pose machinalement ses mains sur son ventre.

— Passer à autre chose ?

— Virgile m'a un peu parlé de ce qui vous est arrivé.

— En tout cas, c'est un endroit pour essayer.

Georges fait glisser son pied sur la marche inférieure de l'escalier.

— Je suppose qu'il vaut aussi bien qu'un autre, dit-il.

Ils prennent le petit déjeuner ensemble, fait de pain, de beurre et de confiture, laissant leur précédente conversation de côté. Cory s'informe des tâches à effectuer dans la ferme. Surpris de l'intérêt qu'elle porte à son métier, Georges prend le temps de répondre à ses questions, en bon pédagogue concentré, pour ne pas se laisser disperser par un morceau de peau nue, un parfum, ou bien un simple geste. Cory semble attentive, souriant parfois sans raison apparente, comme si elle prenait conscience de sa propre naïveté.

Le petit déjeuner terminé, elle se lève la première en portant son bol vide. Georges la regarde avec insistance, comme il n'a jamais osé le faire auparavant. Elle se penche légèrement de côté au-dessus de l'évier, lave le bol, et des mèches de cheveux retombent sur ses yeux et au-dessous. Une veine bleutée enfle sur chacun de ses bras pendant qu'elle frotte les parois avec une éponge. Puis elle dépose le bol sur l'égouttoir, redresse son buste en s'essuyant les mains avec un torchon suspendu, et un cône de lumière révèle sa poitrine nue sous le coton. Georges baisse les yeux. Il voudrait trouver la force de s'échapper, mais la vision fulgurante de ses propres mains posées sur le buste de la jeune femme agrafe son cerveau. Incapable de changer l'axe de ses pensées, il se met à balayer les miettes sur la table du tranchant de la main droite et les recueille dans l'autre main disposée en coupe sous le rebord du plateau stratifié. Il replie son poing, et le contact des miettes sur sa peau lui fait l'effet de petites météorites emprisonnées pilonnant sa chair en quête d'une brèche, comme si cette sensation était de nature à redonner poids à ce corps qu'il a déserté pour un temps indéfini.

— Je vais prendre une douche.

La voix de Cory le ramène brutalement à la réalité et, comme s'il parlait à sa main fermée, il dit :

— Je vais à la bergerie.

— Peut-être que je te rejoindrai, après, si ça ne te dérange pas ?

— Si tu veux.

— Ça se trouve où ?

— Tu n'auras qu'à remonter le petit chemin qui longe le pignon de la maison, par où on est arrivés.

Il attend qu'elle disparaisse derrière la porte de la salle de bains, puis se lève à son tour et sort, tel un fuyard, son sexe douloureux planté dans la toile de son pantalon. Il accélère le pas, imperméable aux signes familiers de son existence. Arrivé à la bergerie, il déroule une boule de foin, saisit une fourche et se met à balancer l'herbe dans les râteliers derrière lesquels des brebis au ventre gonflé bêlent en découvrant leurs petites dents usées et leur langue rosée. Malgré ses gestes coutumiers, Georges ne parvient pas à oublier un seul instant cette femme. Cette femme nue derrière les minces cloisons. Nue dans la douche. Nue. Son corps fait de reliefs déviant les gouttes d'eau sur sa peau. Nue. Ses seins qui se dressent vers les points cardinaux de son désir, son ventre plat où il voudrait s'étendre comme sur un tapis de prière, et enfouir son visage entre ses cuisses ouvertes et son sexe offert, sans jamais fermer les yeux.

Il se maudit de ne pas parvenir à sortir victorieux de ce combat mené contre lui-même. Il a beau faire des efforts démesurés, son corps enfiévré le ramène inexorablement au basculement des heures poudreuses du jour sur un autre flanc du monde.

Il fut un temps…

Le corps de Karl était dur comme la pierre. Il s'entraînait pour frapper, courir, frapper encore, courir toujours, esquiver. Aiguiller chacun de ses muscles sur la voie du noble art. Apprendre, progresser, se remettre en question à chaque combat. Il n'y avait que cela qui comptait pour lui. La boxe.

Quand il pensait que sa vie pouvait se résumer en une seule reprise victorieuse. Peu importait l'adversaire, peu importait le temps que cela prenait, il était prêt. La scène de sa vie : une arène de cordes à la démesure de sa rage. Danse primitive, instincts codifiés. Disséquer chacun des gestes du type en face. Esquiver, remiser en crochets et uppercuts. Sentir la fatigue de l'autre dans les corps-à-corps, comme une bougie qui s'éteint lentement. Le public tout autour, installé dans les gradins de sa folie. Se dégager, bouger, presque disparaître. Attendre le bon moment. La foudre en réserve dans son poing droit. Se délecter de l'attente. Décider. Voir l'autre s'agiter misérablement, les pieds enfoncés dans le ring luisant de sueur. Lourd de coups. La peur dans ses yeux. En finir. Parce qu'il fallait bien en finir. La brèche dans la garde. Presque trop facile d'y engouffrer son poing. Toucher, se retirer. S'amuser de voir le malheureux rechercher désespérément un point d'appui, comme quelqu'un s'apprêtant à s'asseoir sur un banc sans regarder derrière, entraîné par son poids, les cordes trop loin pour lui venir en secours. Ne pas insister. Se tenir toujours en garde, pendant que les fesses du vaincu partaient en arrière et que ses jambes exécutaient un *moonwalk* foireux, sa tête emplie d'étoiles creuses. Et la foule, qui se mettait à crier plus fort dans l'obscurité de la salle en voyant le type rebondir sur le ring, incapable de se relever. Ses jambes, comme les pattes d'une sauterelle prisonnière d'un bocal imbibé d'éther. La foule, qui aurait bien voulu qu'il se relève, qu'il prenne encore des coups dans sa gueule ravagée. Elle en voulait encore et toujours plus, la foule. Pas rassasiée. Elle ne sentait pas les coups, elle les donnait.

Il fut un temps où cela se passait comme ça…

La justification de toutes ces heures d'entraînement, ce coup millimétré pour le compte. Ensuite, une fois le combat terminé, il y avait toujours cette furieuse envie de baiser qui fouillait les entrailles de Karl. Les filles ne manquaient pas côté vainqueur. Simple nécessité physiologique, bestiale. Continuité des instincts. Impossible de s'en tenir à la victoire sur son adversaire. Besoin de posséder. Durcir, pénétrer un sexe trempé, aller et venir. Un autre combat, un autre adversaire. Là encore, peu importait qui. Insensible aux attentes de la fille. Soumise à son incontrôlable pulsion. Karl, uniquement connecté à ses propres racines charnelles. Lapait le visage dégoulinant de Rimmel, comme un animal assoiffé qu'un invisible danger menace au point d'eau. Suspendu au-dessus du corps laminé de la fille, les mains posées de part et d'autre du buste, ses pectoraux gonflés par l'effort incendiant les seins. Cette jouissance barbare qui pilonnait Karl, jusqu'à ce qu'il se libérât et que sa tête raclât le mur du son. Si peu de plaisir. Son visage impassible, quand il remontait à la surface. Celui de la fille, éprouvé, balafré d'incompréhension et de terreur. Puis Karl roulait sur le côté pour tenter d'effacer sa présence, en attendant que le démon quittât son corps honteux, et que la fille s'en allât.

Il fut un temps...

*

Ce dernier combat.

Un souvenir qui noyaute chaque cellule de son corps.

Un combat à revivre...

Tout est en place, une nouvelle fois. Échauffement dans le vestiaire. Une pellicule reptilienne nappe sa peau. Il brûle d'en découdre. S'est renseigné sur l'adversaire du jour, un gaucher d'une tête de plus que lui et l'allonge qui va avec. Youssef Quelque-Chose, un grand Noir affûté comme un pur-sang.

Présentation des combattants.

Le Noir rassemble ses mains en regardant le plafond. Karl se signe sans détourner les yeux de son adversaire.

Dieu contre Allah.

Pas de raison de changer ses habitudes. L'intro en petites notes sèches posées sur la gueule du Noir, qui pare et remise dans les gants. Ne pas se précipiter, pas la peine de balancer toute la sauce au début. S'en tenir à ce qui a toujours fonctionné. Prendre le pouls, en garder sous la semelle. Les staccatos en crochets du gauche et les crescendos en directs du droit. De temps en temps, frapper vraiment en jetant le poids du corps, et se retirer. Tester. Tourner autour du gauche, éviter qu'il le déploie. Une stratégie gagnante jusque-là. Jamais K.O., vingt-trois combats, vingt victoires et trois nuls, dix-neuf avant la limite. Suffisamment de confiance engrangée.

Sacrée envergure d'albatros. Pas un manche, le Youssef. Patient et visiblement bien armé pour le combat.

Statu quo à l'entame de la troisième reprise. Les courts crochets de Karl butent sur les avant-bras du Noir, ou sur ses abdos dans le meilleur des cas. On dirait que ça le fait marrer, qu'il prend plaisir à se faire asticoter, rien de plus. Tenter de réduire la distance, chercher le foie dans le corps-à-corps. D'habitude, ça marche. Mais là, Youssef Quelque-Chose pose des notes inconnues sur une partition pourtant écrite à l'avance. Compact comme un blockhaus recouvert de glace, insaisissable, précis, un genre d'anguille toxique.

Fin du round. Karl a perdu le compte. Épuisé. Il regagne son coin au ralenti, se concentre sur chaque pas pour ne pas trébucher. Récupérer. Du sang ruisselle sur son visage. Rien senti. Arcade, pommette ? Pas besoin de savoir. Il s'assoit lourdement sur son tabouret. L'entraîneur prodigue des conseils inaudibles tout en le soignant. Une fille en bikini traverse le ring en balançant un carton numéroté au-dessus de sa jolie frimousse, pendant qu'un type gueule dans un micro pour haranguer le public déjà chauffé à blanc. L'air flambe. Regard accaparé par le Noir qui fixe sa proie dans la diagonale opposée et crache dans un seau sans baisser les yeux. L'hématome se met à enfler sous l'œil gauche de Karl, et l'œil finit par se fermer, réduisant son champ de vision, même pas de quoi y glisser une pièce de cinq cents. Le Noir, maintenant debout, immense combinaison de muscles, danse et frappe ses gants l'un contre l'autre, en continuant de se marrer. Une tête de mort dessinée sur son protège-dents, qui se marre elle aussi.

Signe de croix pour tenter de repousser Allah dans les cordes.

Se lever sans montrer la peur. Tenter de reprendre le combat à son compte. Illusion. Calcul de la part du Noir. Les coups de Karl ne le touchent jamais vraiment. Et puis, enfin une ouverture dans la garde. Dieu l'a entendu, lui vient en aide. Le salut. Une seule chose à tenter. Se souvenir de la foudre. Balancer la droite avec tout ce qui reste de forces. Calcul. Le Noir a tout prévu, esquive. Le direct glisse sur son épaule et ne réussit qu'à faire gicler quelques gouttes de sueur qui semblent s'immobiliser un temps dans le faisceau d'un projecteur. Calcul. Le Noir remise d'une droite au foie. Karl accuse le coup et baisse sa garde. Juste assez pour accueillir le coup de grâce, à peine la sensation d'une piqûre d'insecte sur sa tempe droite.

La musique s'éteint.

Les voix se taisent.

Ce monde prend fin.

Allah est le plus grand ce jour-là.

Plus tard, on lui raconta que le Youssef Quelque-Chose ne s'est pas acharné, qu'il a levé les bras en l'air en signe de victoire et provoqué la foule.

Il fallut deux mois à Karl avant que l'hématome ne se résorbât. Os temporal enfoncé. Un autre coup au même endroit aurait pu lui être fatal. Fin de carrière.

Karl aurait tant voulu que tout s'arrêtât à ce moment précis.

Virgile s'assure que Judith dort encore. Il soulève les draps avec précaution et se lève. Attrape ses vêtements posés sur le dossier d'une chaise et sort sans faire de bruit, reprenant seulement sa respiration une fois à l'extérieur de la chambre.

Les volets de la cuisine ne sont jamais fermés et les premiers rayons du soleil se dispersent dans la pièce à travers les vitres martelées. Virgile s'habille dans la pénombre. Ne prend pas le temps de se préparer un café, chausse ses bottes et quitte la maison. Il ne peut pas laisser Judith seule longtemps.

Il se rend sous la resserre qui jouxte l'étable, là où il stocke le bois pour l'hiver, ainsi que des outils alignés contre un mur. Choisit une houe et une pelle-bêche qu'il cale sur son épaule droite, puis traverse la cour. Le chien tire sur sa chaîne en aboyant, et Virgile lui demande de se taire. L'animal tente une dernière fois d'amadouer son maître, barbouille ses babines de salive avec sa langue et se couche dans la poussière.

Sa queue coincée entre ses pattes arrière chatouille son sexe en érection.

Il n'y a pas un souffle d'air. Un grand artificier a manifestement décidé de construire un feu sous les mamelons montagneux dans le lointain, de sorte qu'on a l'impression de voir émerger une mer flamboyante entre des dunes.

Ce matin, Virgile a l'intention d'aller curer la rigole des Condamines. Il s'arrête un instant en chemin, dépose ses outils au sol et se penche pour examiner quelque animalité peureuse accrochée à un fil de soie, suspendue à une morelle noire. Il saisit le fil entre pouce et index, comme il le faisait enfant et qu'il pouvait s'émerveiller de ce yo-yo vivant. Il plisse les yeux, sans parvenir à distinguer la bestiole, juste à l'imaginer, et peut-être même qu'il ne tient plus rien entre ses doigts. Peut-être qu'il n'a jamais rien tenu entre ses doigts aux jointures calfatées de corne, que sa mémoire a fait le reste. La sensation qu'un petit troglodyte lui picore les yeux. Il fait basculer sa tête de côté et ses cervicales craquent. Il saisit ses outils, se redresse et se remet en marche, passant à travers une friche où de jeunes pins sylvestres semblent honorer d'anciennes souches tronçonnées.

Virgile coupe par la tourbière, passe à proximité de l'imposante bâtisse abandonnée des Ores. Toujours le même malaise qui le saisit. Une attraction le pousse à s'approcher. Façade recouverte de lierre en lianes crampons, qui s'en vont rejoindre la charpente écorchée, soulevant des ardoises mémorables, pareilles à des tables de la loi brisées et jetées à terre par de nouveaux adorateurs. Immense Léviathan accompagné dans la mort par une tribu de choucas qui tournoient entre les cheminées de briques, leurs voix en glas martelant les nuages de leurs pâles becs à l'approche de l'intrus. Carcasse renfermant les ombres du passé, libérée de toute quête terrestre, glorifiée. Intime fuselage en capside protectrice des formes les plus absolues du mal.

Il ne subsiste désormais de la porte principale que des gonds rouillés et quelques morceaux de planches vermoulues rivetés. Un pigeon s'envole du rez-de-chaussée, s'engouffre par une trouée du plafond, évite un lustre aux allures de pieuvre et s'en va se poser sous le toit. Perché, il se met à roucouler en bougeant ses petites pattes crasseuses pendant qu'il chie un jus blanchâtre sur une poutre noircie par d'anciennes fumées. Devant l'escalier intérieur aux marches défoncées, forme hélicoïdale en nucléotides de cèdre atrophiés, caractères muselés, depuis le lâche abandon qui en conçut l'incurable gangrène. Colonnes torsadées surmontées d'oiseaux de paradis étincelants dans la lumière tubulaire qui dévale la charpente accidentée en torrents querelleurs, sans que les ombres ne soient rien que nuit. D'antiques voix montent du sous-sol, traversent les tomettes brisées, et Virgile les entend, comme expulsées d'une matrice asséchée. Des voix auxquelles il refuse de répondre.

Arrivé dans la prairie des Condamines, Virgile crache dans ses mains et les frotte l'une contre l'autre. Il entreprend de dégager sur-le-champ la rigole aux berges défoncées par les derniers orages, afin qu'elle retrouve sa fonction de drainage. Il utilise d'abord la houe et ensuite la pelle-bêche pour extraire une terre collante, ressemblant à de grosses bouses noires, qu'il dépose d'un côté, puis de l'autre, dans un mouvement de balancier. Au fur et à mesure de sa progression, la rigole retrouve son lit et l'eau s'éclaircit en prenant le chemin de la pêcherie dans laquelle, jadis, il a attrapé tant de grenouilles avec son frère à l'aide de pétales de géranium chapardés, accrochés à un hameçon. Et ils rentraient à la maison, assommaient les batraciens, les coupaient en deux sous le thorax et retiraient la peau des cuisses musclées, comme s'il s'agissait de jambes de pyjama. Et sa mère les faisait frire le soir, dans de l'huile, avec de l'ail et du persil.

Virgile commence à s'essouffler, mais poursuit vaille que vaille son travail de forçat, d'abord pour ne pas se retarder et aussi pour ne pas être tenté de relever les yeux, n'ayant pas le courage d'affronter une réalité bafouée, dépiautée par son regard.

Il extirpe maintenant les dernières pelletées de terre qui empêchaient la rigole de se déverser dans la pêcherie, et bientôt une coulée de boue se met à souiller l'eau. Il se redresse brusquement. Vieil échassier chenu aux mains crottées cernant le manche de la pelle à la manière d'un potier qui façonne un vase. Entend des cris dans le lointain, ressemblant à des aboiements transportés par le vent. De sourds grondements qui accaparent le néant gris du ciel. Inquiet, Virgile imagine le galop impatient de grands Saint-Hubert façonnés par la chasse. Il pense un instant, que la fatigue, ou la nostalgie, sont simplement à l'origine de ces hallucinations sonores. Il bascule sa tête en arrière, vite aveuglé par une intense lumière et lève ses avant-bras au niveau de son front, comme pour parer un coup.

Un vol de grues perfore les nuages et se met à tournoyer à l'aplomb de Virgile. Les oiseaux semblent perdus et il ne les distingue pas, malgré toute la concentration qu'il déploie à fixer le ciel bruyant. Les grues s'orientent durant plusieurs minutes, pareilles à des vautours évaluant une proie au sol, puis le groupe se reforme en une pointe de flèche asymétrique qui poursuit sa route, transperce une cible charbonneuse et disparaît dans un ciel blasé, derrière des voiles liquides carguées pour le Sud. Les cris s'amenuisent et s'évanouissent, recouverts par le vent qui s'écoule à la poursuite des oiseaux.

Virgile se dit qu'il est un peu tôt dans la saison pour qu'un tel phénomène se produise, à moins qu'il n'ait rêvé le passage des migrateurs. Il les envie de leur liberté, leur sens inné de l'essentiel, cette faculté à devancer la morsure du froid, de ne jamais subir. Tout ce qui porte irrémédiablement Virgile au-devant de son impuissance.

Il se met à voyager dans le temps, revient au jour où son père l'a conduit dans cette combe, quelques années après que la guerre l'eut recraché prématurément avec une grave affection des bronches. Une maladie qui ne ferait qu'empirer au fil des années et qui aurait raison de lui à même pas soixante ans. Cette maladie et tout ce qui le rongeait, sans que Virgile n'en sût rien à l'époque.

Virgile et son père marchèrent longtemps. Le père s'arrêtait fréquemment afin de reprendre son souffle, l'air de rien, et il profitait de l'occasion pour raconter une anecdote concernant la région et les hommes qui la peuplaient, ou bien donner une leçon dont le fils aurait à se servir dans le futur, une nouvelle loi promulguée en des temps reculés et que jamais personne n'avait songé à contredire, par habitude ou superstition.

Ce jour-là, ils attrapèrent des têtards à l'aide d'une vieille casserole en fer-blanc. Les bestioles ressemblaient à de grosses gouttes sombres suspendues à un pédoncule voilé et tortillaient leur corps visqueux dans la petite main de Virgile, cherchant à rejoindre leur élément, fuir l'asphyxie. Il y avait aussi des tritons au fond de l'eau, aux allures de petits dinosaures fragiles et colorés. Virgile demanda ce qu'étaient ces autres drôles d'animaux qui allaient sous l'eau, d'une touffe de jonc à une autre, en se propulsant grâce à leurs grosses pattes en forme de rames munies de cils.

— Des larves de libellules, dit son père.

— Ça vit pourtant pas dans l'eau, les libellules.

— Sûr… On t'a pas encore appris ça, à l'école ?

— Appris quoi ?

— Ce qu'est une métamorphose.

— Non. Le maître, il dit toujours que le plus important à savoir, pour se débrouiller dans la vie, c'est les mathématiques.

— On voit bien qu'il arrive d'une ville, celui-là… J'imagine qu'il tardera pas à changer d'avis sur les priorités.

— C'est quoi, le mot que t'as dit ? Méta…

Le père sourit en voyant son fils batailler avec le mot.

— Métamorphose. C'est un peu comme si t'avais été un poisson avant de te transformer en humain.

— Ça se peut pas !

— Pour nous, non, mais chez certains animaux, ça se peut. Un genre de pouvoir qu'on n'a pas.

Le petit se rapprocha de l'eau pour mieux distinguer ce qui se passait sous la surface.

— Je comprends pas à quoi ça sert, de se transformer à ce point.

— Je suppose qu'y a quelqu'un quelque part qui le sait, sinon ça existerait pas, dit le père en pointant un doigt vers le ciel sans le regarder.

— Le maître dit aussi qu'y a une explication à tout.

— Faut pas lui en vouloir, c'est ce qu'on lui a appris. J'imagine qu'il t'en donnera une, d'explication, et que tu l'écouteras. Mais je mettrais bien ma main au feu que son discours évoluera avec le temps. Si jamais il sort un peu de sa classe.

— Henri aurait dû venir avec nous.

Le père de Virgile se rembrunit.

— Tant pis pour lui, il a pas voulu.

— Je lui raconterai ce qu'on a vu.

— Je suis pas sûr que ça l'intéresse autant que toi.

— Métamorphose… J'ai retenu le mot. J'en parlerai demain au maître, dit fièrement Virgile.

— Et tu lui diras quoi ?

— Qu'y a des bêtes qui se transforment pour s'améliorer.

— Tant que tu lui parles pas de mystère, ça ira. Allez, viens, je voudrais te montrer autre chose.

Ils gravirent la combe en longeant une haie d'aubépines et de sureaux, que le père de Virgile tenait à distance à coups de croissant aiguisé à la pierre sèche, au début du printemps et parfois en été, lorsque le temps était pluvieux. Parvenu devant un tas de cailloux calibrés et disposés en carré, d'environ un mètre cinquante de côté et haut d'un petit mètre, le père resta silencieux. Il fit le signe de croix et se tourna vers son fils, interdit. Puis il parla d'un ton solennel.

— Faudra que tu veilles à ce que personne y touche, après moi.

— C'est quoi ?

— Un cairn.

— Un quoi ?

— Un cairn. Une sorte de monument.

— Ça sert à quoi ?

— À témoigner d'une chose que personne devrait oublier.

— De quelle chose tu veux parler ?

— Une qui s'est passée dans le siècle avant celui-là, quand y avait encore des loups dans la région. Une histoire qui a à voir avec le nom qu'on a donné à cette prairie.

Virgile était prêt à réagir, mais son père embraya sans attendre.

— Y avait un homme, capable de te remettre d'aplomb d'une pichenette, de t'arranger un nerf déplacé, ou de te soulager d'un mal que le docteur pouvait pas soigner. On faisait souvent appel à lui dans la région et on le payait en volailles, en légumes, jamais en argent. Il aurait pas accepté d'argent, d'ailleurs. On l'appelait « le guérisseur ». Il était tellement réputé qu'on venait de partout pour avoir affaire à lui, de bien plus loin que le canton… Sinon, il travaillait sa terre, comme tout le monde. Il avait une femme et deux filles.

— C'était qui ?

Le père fit comme s'il n'avait pas entendu la question.

— Un jour, le fils de l'étranger, qui vivait dans la grande propriété des Ores, est tombé malade. Les potions des docteurs n'y ont rien fait, le mal faisait que s'aggraver. L'étranger a envoyé ses gens chercher le guérisseur, comme une dernière chance. Il y croyait pas

125

plus que ça, mais comme tout le monde disait le don du bonhomme… Quand le guérisseur est arrivé, l'étranger lui a dit, avec son drôle d'accent, qu'il lui donnerait tout ce qu'il voulait s'il réussissait à guérir son fils, vu que la fièvre baissait pas et que personne savait plus quoi faire. Après avoir examiné le malade, le guérisseur a dit que ce mal dépassait ses compétences. L'étranger a fait comme s'il entendait pas, disant à tout le monde, que son fils allait s'en sortir. Le guérisseur venait voir le malheureux tous les jours, avec des potions qui le calmaient juste quelques heures… et puis le mal revenait de plus belle. Après une semaine, il était convaincu qu'il y avait plus rien à faire. Il a voulu le faire comprendre encore une fois à l'étranger, mais ça a servi à rien. Alors, il est rentré chez lui en douce, épuisé, décidé à plus revenir aux Ores.

Le père de Virgile se tut et saisit une pierre qui avait roulé au sol depuis le cairn. Ses lèvres bougeaient, mais le son mit un certain temps à sortir.

— Quand son fils est mort, l'étranger était fou de douleur. Il a envoyé chercher le guérisseur. Il lui fallait un coupable et il était tout désigné. Il paraît que le pauvre homme a entendu les chiens arriver de loin. Ils aboyaient comme s'ils étaient sur la piste d'un sanglier. Il a pas mis longtemps à comprendre. Son premier réflexe a été de mettre sa famille à l'abri, et il a pris son fusil pour entraîner la meute à ses trousses à travers les bois. Jusqu'à ce pré.

Le père de Virgile s'interrompit de nouveau et déposa la pierre pétrie de ses mains sur le cairn.

— C'est ici qu'ils l'ont rattrapé. Le guérisseur était doublement coupable, puisqu'il s'était enfui. Ses potions, c'étaient forcément le poison qui avait fini par tuer le fils. Y avait pas à se poser de questions, et les chiens s'en sont pas posé. Ils se sont jetés sur lui. On dit qu'il a eu le temps d'en abattre deux, mais ils étaient trop nombreux. Une bonne quinzaine de bêtes habituées à la curée.

Le père avala de la salive.

— Il était déjà mort quand les traqueurs sont arrivés sur place. Paraît que c'était pas beau à voir. Il avait plus figure humaine, tellement les chiens s'étaient acharnés. Personne dans les environs n'a rien trouvé à redire, pas plus ceux que le guérisseur avait soulagés par le passé que les autres. Ils craignaient tous l'étranger. Faut dire qu'on était encore un peu comme au temps des seigneurs… Depuis, le guérisseur est devenu « le Sorcier ». Le curé de l'époque a même pas voulu qu'il soit enterré au cimetière avec ses ancêtres, des fois qu'il contamine le reste du troupeau. C'est pour ça qu'il est là-dessous.

Le père prit la main de Virgile et la serra plus fort qu'il n'aurait dû, arrachant une grimace silencieuse à son fils.

— C'est depuis ce temps qu'on appelle cet endroit « les Condamines ». Le guérisseur, c'était mon arrière-grand-père. Ton arrière-arrière-grand-père.

Le père de Virgile laissa planer un silence, avant de reprendre.

— Plus tard, un autre curé a proposé de le faire enterrer avec les siens, mais j'imagine que c'était trop tard… Oublie jamais cette histoire et transmets-la à tes enfants.

— L'étranger, c'était qui ?

— Ça a plus aucune importance, il a quitté la région tout de suite après, et personne a plus jamais entendu parler de lui…

— C'est pas juste qu'il s'en soit tiré.

— Ce qui compte aujourd'hui, c'est ce que tu vois… La justice, c'est autre chose.

Virgile était bien jeune à l'époque pour qu'on lui racontât une telle histoire, mais il s'en souvient comme si c'était hier. Il comprit par la suite que son père ne savait pas combien de temps il lui restait à vivre et qu'il avait ressenti le besoin de se confier ce jour-là.

Virgile n'a pas d'enfant, et ce manque le dévaste plus que tout chaque fois qu'il passe devant la tombe de son aïeul, tout en maudissant la famille de l'étranger et aussi celle de Dieu. Il a moins d'indulgence que son père pour ces choses-là. Bien sûr, il a raconté l'histoire à Georges, mais ce n'est pas pareil que de la transmettre à son propre enfant, et ça non plus, ça n'a pas arrangé ses affaires avec le Très-Haut.

De temps à autre, il vient parfois éparpiller une brassée de fleurs sur le cairn et se recueille un moment, comme si la voix de son père avait été préalablement enregistrée dans la caillasse, et que sa seule présence suffisait à dérouler une bande sonore. Une putain d'ironie du sort, d'être arrivé à ce stade de vieillesse sans la moindre descendance, de se retrouver là, à commémorer un tas de pierres au bord d'un pré.

Des chants d'oiseaux portés par la brise se mêlent au silence. Cory ne se souvient pas s'être jamais laissé envahir par une telle forme de silence. Elle en a certes connu d'autres, gelées, des formes habitées par la peur, même en l'absence de l'homme-torture. Tant d'aubes aux allures de crépuscules, qu'elle a fini par ne plus faire la différence.

Ce matin, la nature lui paraît différente de la veille, étonnamment apaisante. La fraîcheur *saumone* ses joues, révélant leur galbe. La sensation que son corps épouse l'air sans résistance. Qu'il n'y a pas lieu de lutter, du moins en cet instant où le soleil dévore lentement le ciel et désagrège la laine de rares nuages d'altitude.

Cory contourne la caravane et embrasse du regard l'ensemble du hameau, ce lieu immobile qui semble éternellement visiter la tradition, avec la ferme de Virgile plus bas sur la droite et ce toit qui émerge de la végétation à quelques centaines de mètres sur la gauche, puis la lande immense, droit devant.

En observant la façade de la maison, elle se demande pourquoi Georges vit dans une caravane plutôt qu'ici. Extérieurement, la bâtisse a plutôt l'air en bon état. Étrange, se dit-elle. À moins qu'elle ne lui appartienne pas.

Elle ouvre le portail et remonte le chemin pour rejoindre la bergerie, comme le lui a indiqué Georges, la veille. Parcourt la centaine de mètres qui l'en sépare. Des senteurs d'excréments recouvrent vite celles de la terre humide, et bientôt lui parviennent des bêlements, ainsi que d'autres bruits qu'elle ne reconnaît pas. Elle ralentit près de la porte entrouverte de la bergerie, passe discrètement la tête par l'entrebâillement et observe Georges de loin. Cet homme, si emprunté sur le quai de la gare, lui paraît différent, presque gracile, occupé à soigner ses moutons avec des gestes libérés, dosés, mais amples, comme dépourvus d'effort. *Un autre homme.*

Elle décide de ne pas manifester sa présence, d'abord pour ne pas le déranger, et ensuite parce qu'elle n'a pas envie de parler. Besoin de découvrir les alentours, seule. Elle passe près du verger et le choc sourd produit par un fruit tombant au sol la fait sursauter. Redescend le chemin jusqu'à la ferme de Virgile et entre dans la cour où règne le calme. Il ne semble pas y avoir âme qui vive. Elle se dirige vers la porte d'entrée. Hésite un moment à frapper pour saluer sa tante, puis se ravise. Plus tard, se dit-elle. Quand Virgile le permettra. Elle ne va tout de même pas trahir sa confiance à peine arrivée. Elle sait ce qu'elle lui doit d'avoir accepté de l'accueillir. Et aussi, ce qu'elle risquerait de découvrir derrière la porte.

Elle traverse la cour dans l'autre sens et rejoint la caravane. En attendant que Georges rentre, elle s'assied sur le rebord d'un antique lavoir qui sert à collecter l'eau de pluie par une des gouttières de la maison. Le regard dans le vide, elle se demande quel rôle acceptable revient aux hommes dans sa vie, tant les femmes semblent s'effacer à son approche. Une fulgurance, comme le dard d'une guêpe dans son cou.

Georges est de retour de la bergerie, les mains chargées de pêches de vigne. Il y a une étrange lueur dans ses yeux quand il parle, un empressement à combler le silence.

— Ça va ?

— Tu habites un bel endroit.

— Vous êtes allée vous promener ?

— Pas bien loin.

Cory désigne du regard la ferme de Virgile en contrebas.

— Vous êtes entrée ? demande Georges en intensifiant la pression de ses doigts sur les fruits.

— Je n'ai pas osé.

Georges dépose les fruits sur le bord du lavoir.

— Vous avez bien fait.

— Tante Judith va si mal que ça ?

132

— Je ne la vois pas souvent, mais quand ça arrive, c'est rarement celle que j'ai connue que je croise… si je réponds à ta question.

— Ça veut dire qu'elle a aussi des moments de lucidité ?

— J'imagine.

— J'aimerais vraiment la rencontrer, avant qu'il soit trop tard.

— C'est pas à moi d'en décider.

— Je sais bien, il faudra que j'en parle à Virgile.

— C'est ce que vous avez de mieux à faire pour pas le braquer.

Cory se lève, frotte son pantalon à ses fesses.

— Cette maison, elle est à toi ? demande-t-elle.

Une ombre passe sur le visage de Georges et son front ressemble à un linteau lézardé qui peinerait à supporter le poids des réponses. Il rassemble les pêches, comme s'il cherchait l'agencement idéal.

— C'était celle de mes parents.

— Pourquoi tu n'y habites pas ?

Georges jette un regard à la maison, puis s'en détourne aussitôt.

— C'est pas chez moi, dit-il sèchement.

— Je ne voulais pas paraître indiscrète.

— Ils sont morts dans un accident de voiture quand j'avais quatre ans, dit Georges, comme si la réponse lui paraissait suffisante et ne souffrait aucune relance.

Judith caresse une boîte en tôle rectangulaire. Sur le couvercle : une calèche tirée par deux chevaux, un homme et une femme serrés l'un contre l'autre sur le siège, emmitouflés dans de longs manteaux d'hiver. Judith glisse le bout de ses doigts sous le couvercle et le fait basculer sur ses deux charnières. Elle regarde un instant l'intérieur, semble hésiter, puis en sort des photographies, qu'elle étale sur le lit de la paume de sa main droite, avec d'infinies précautions. Des photos noir et blanc, sépia, et de plus rares en couleurs. Les ordonne, comme une diseuse de bonne aventure s'apprêtant à tirer les cartes pour elle seule. L'exercice qu'elle s'impose chaque matin en cachette.

L'ensemble des photos disposées sur le lit, elle essaie de se souvenir des visages enjoués, des silhouettes disparates. Mettre des légendes. Y parvient parfois, abdique souvent et vérifie les notes inscrites de sa main au dos en grimaçant. L'effort de concentration que lui impose cette discipline l'épuise, mais elle est loin d'en avoir terminé. Elle relève les yeux, fouille dans le fond de la boîte et en sort un cahier à spirales aux feuilles jaunies et un stylo à bille. S'assied sur le rebord du lit, pose le cahier sur ses genoux. Du plat de sa main droite, elle lisse la couverture ornée d'un chevalier qui brandit une plume Sergent-Major et ouvre le cahier. Tourne lentement les pages sur lesquelles sont répétés les mêmes noms et prénoms, jusqu'à dénicher une feuille vierge. Puis, elle avale un long filet d'air et s'applique à recopier d'une écriture enfantine qui dérape parfois des lignes tracées. Une veine enfle sur son front.

Son travail de copiste terminé, elle se met à lire à haute voix en tentant de recombiner les noms et les prénoms avec la bonne photo. Les échecs, chaque jour plus nombreux, pèsent bien plus lourd dans son esprit, que les maigres victoires. Elle se maudit à chaque erreur, pour ne pas inculper le Jésus plaqué au mur, pas plus que son créateur dont elle ne peut s'empêcher d'implorer l'aide.

La veine s'efface du front, comme si elle regagnait un terrier sous la peau plissée. Un long frisson parcourt le corps fébrile de Judith et elle dépose le cahier au fond de la boîte, rassemble les photos qu'elle place par-dessus et referme le couvercle. La boîte sur les genoux, elle fixe le couple heureux et, bientôt, des dizaines de visages tristes s'agglutinent sur la tôle brillante, se superposent, pour qu'apparaisse son propre reflet méconnu.

Ses outils à l'épaule, Virgile pénètre dans la cour. Une voix, provenant d'une forme près du puits. Il s'approche. Judith est assise sur une caisse à pommes de terre renversée, les jambes écartées, une position obscène. Il ne bouge pas, pétrifié par la scène. Elle tient par les ailes un poulet bien trop jeune pour être sacrifié, puis coince le volatile entre ses cuisses et lui saisit la tête de sorte à tendre son cou cerclé de plumes mordorées agacées par la terreur. De sa main libre, elle sort un couteau au manche entouré de chatterton d'une poche de sa blouse, enfonce la lame effilée à l'intérieur de la gorge du poulet qui rabat ses paupières et se débat de plus belle sans parvenir à se dégager. Elle tranche l'artère d'un coup sec, le sang gicle par le bec et s'écoule en un filet continu. Puis, elle laisse tomber le couteau au sol, tend le cou du poulet entre ses jambes, se penche et lui parle tendrement, le caresse, le berce d'une main ensanglantée et le cou flasque balaie sa cuisse en abandonnant une trace rouge en arc de cercle sur la dalle du puits.

Assurée que toute vie a définitivement quitté la bestiole, Judith entreprend de retirer les plumes une à une en commençant par l'extrémité des ailes :

« Am stram gram, pic et pic et colégram… », scande-t-elle chaque fois qu'elle arrache une plume.

Il n'y a aucune musicalité dans sa voix. Les mots sortent de sa bouche, pareils à des arêtes granitiques frottées sur un morceau de verre. Elle lève la main de plus en plus haut, dans un geste de couseuse :

« Bour et bour et ratatam… »

Judith reste parfois en suspens, la main en l'air, sans raison apparente. Regarde le duvet flotter et reprend sa sinistre besogne avec plus de fureur encore. La peau du poulet est piquetée de barbillons, tels de minuscules troncs décimés par une tempête et recouverts de créosote.

Virgile s'avance. Judith lève sur lui des yeux rougis par la colère, en rien surprise de sa présence. Il fait glisser ses outils au sol, mains arrimées aux manches, désormais incapable d'esquisser le moindre geste cohérent face à la situation, ne sachant pas au final s'il s'agit d'un pur moment d'égarement ou d'une ultime lucidité.

Virgile voudrait disparaître, retourner près de la rigole, enfoncer ses pieds dans la glaise, écouter une voix bienveillante sortie du ventre de la terre. Mais il est bien ici, dans cette cour envoûtée, et ses outils gisent maintenant sur les pierres polies par le passage des hommes et des engins, là où quelques pieds de mouron jauni colmatent des brèches.

Judith se lève brusquement de la caisse sans lâcher le poulet qu'elle tient serré contre sa poitrine, comme si elle s'apprêtait à lui donner le sein. Quelque chose semble dégringoler du grenier de sa mémoire, une révélation faite au monde et puisée dans les entrailles intactes du volatile. Un genre de pythie.

— Crois pas que je me rappelle pas qu'on ébouillante un poulet pour le plumer facilement ! Crois pas ça ! dit-elle sans détacher son regard du volatile.

— J'ai jamais pensé une chose pareille, Jude.

— T'es qu'un menteur… et un mauvais encore.

Virgile jette un regard en direction de ses outils :

— Je suis allé curer la rigole des Condamines. J'ai entendu passer les grues.

— Et alors ?

— Elles passent rudement tôt cette année, tu trouves pas ?

— Les bêtes sentent des choses qu'on n'est pas capables de sentir… à moins que tu aies rêvé.

— Je crois pas que j'ai rêvé.

— Alors, c'est qu'il va faire froid.

Judith répète plusieurs fois le mot « froid », en continuant de bercer le poulet entouré de mouches.

Virgile ramasse ses outils sans la quitter des yeux, puis s'en va les ranger sous l'appentis. Derrière lui, la complainte litanique se poursuit :

« Am stram gram, pic et pic et colégram, bour et bour et ratatam… ».

Judith, et tout ce qui s'échappe d'elle à gros bouillons.

Tapi sous les branches basses d'un épicéa, le chasseur tient le fût de sa carabine à main droite, la crosse repose sur un de ses rangers. Le poste d'observation idéal, ce flanc de vallon boisé de conifères d'où il peut épier l'ensemble du hameau. Il se sent chez lui ici. Suffisamment d'espace pour déployer ses ailes.

Il pointe son arme en direction de la ferme de Virgile, porte un œil à la lunette. Un étrange spectacle se joue en contrebas. La vieille est en train de tuer un poulet sans se soucier du sang qui gicle sur sa robe. Puis, elle balade le cou entre ses jambes et ses lèvres tremblent en même temps, comme si elle traçait des signes mystérieux en psalmodiant. Lui, la regarde, posée comme une statue.

Elle est désormais seule au milieu de la cour, le poulet mort dans ses bras, plantée dans une flaque de sang qui ressemble au socle fondu d'un soldat de plomb. Sur sa blouse se déploie une tache aussi grosse qu'un bouquet de pivoines pourpres. Des plumes sont collées au sang et d'autres s'envolent, avant de se fixer sur un quelconque support ou de rebondir sur des obstacles.

Le chasseur en a assez vu, il secoue ses articulations pour déloger les fourmis et s'en va, carabine à l'épaule.

Georges est sorti en début d'après-midi. Cory ne saurait dire depuis combien de temps exactement. Pas la moindre pendule dans la caravane et sa montre est restée dans la chambre. Seules les pages qu'elle tourne rythment le passage du temps. Ce livre que lui a conseillé Georges.

Lumière d'août. Il n'eut pas l'air d'hésiter en lui tendant le livre. « Pourquoi celui-là ? », demanda-t-elle. « Parce que toi aussi tu es sur la route, on dirait bien », répondit-il en souriant. Une chose naturelle. Le regard lumineux de Georges, quand il avait parlé, comme s'il chevauchait un arc-en-ciel. Regard coulissant de Cory au livre, du livre à Cory. Ses mots, comme s'il balançait des caillasses dans une source boueuse pour la rendre limpide.

Une fois qu'il eut quitté la caravane, elle se dirigea vers cette obscure lumière d'été, d'abord sur la pointe des pieds, puis s'y jeta. L'histoire de Lena. Sûrement pas un hasard, ce choix. Cory en fut convaincue en lisant les toutes premières lignes.

Il n'y a pas encore un mois que je me suis mise en route et me voilà déjà en Mississippi. Jamais je ne m'étais trouvée si loin de chez nous…

Toutes ces images qui apparaissent à Cory et qu'elle dissèque page après page. À sa manière. La signification profonde des mots d'un illustre inconnu, leur puissance insoupçonnée. Quelqu'un lui parle à travers des mots. Précisément à elle. La sensation intime d'être un rapace escaladant le ciel pour mieux voir de petites créatures se débattre au sol sans soupçonner sa présence. Invisible et délicieuse menace.

De longs sarments arqués de framboisiers remontants adoubent la clôture qui borde le chemin, ployant sous les fruits que personne n'a pris la peine de ramasser. Des piquets pourris à la base ont en partie fait basculer le grillage recouvert de liseron et de pois de senteur.

Au milieu de touffes d'herbe, Cory découvre des jalousies, des pivoines, et des iris aux feuilles brunies, plantés là, des décennies en arrière, dans une plate-bande aux limites défoncées. L'air est doux et il n'y a pas un souffle de vent. Elle hésite un moment à partir à la recherche de Georges pour lui demander des outils, puis arrache un premier pied de chiendent et poursuit en dégageant les vivaces, jetant les adventices en tas. Des siliques explosent au fur et à mesure de sa progression, libérant leurs graines aussi loin que possible, et des insectes s'enfuient.

L'exercice apaise Cory. Un filet de sueur imprègne le dos de son t-shirt, dessinant progressivement le parcours de sa colonne vertébrale, jusqu'à la naissance de ses fesses. Le contact de ses mains sur la terre et les végétaux l'emplit de bien-être et elle se surprend à ne penser à rien d'autre.

Un chat approche, puis se poste à l'affût, guettant l'éventuelle apparition d'un mulot ou d'une musaraigne, et s'enfuit ventre à terre lorsque Cory s'apprête à le caresser.

Judith s'avance près du grillage, curieuse d'observer cette drôle de fille courbée qui agit avec application, trop accaparée pour faire attention à sa présence. S'y reprenant à plusieurs fois pour arracher un *malheureux* pissenlit de ses mains, *et encore, sans les racines*. Elle n'a jamais fait une chose pareille, ça saute aux yeux de Judith.

Elle penche la tête pour tenter d'apercevoir le visage de la fille à travers le grillage, mais la végétation et une frange de cheveux l'en empêchent.

— Bonjour ! dit-elle abruptement.

Cory se redresse. Dans le chemin, il y a cette vieille femme maigre qui tient à deux mains les pans inférieurs de son tablier rabattus dans son giron.

— Bonjour… Judith.

Cory s'approche de la clôture d'un air affable et Judith recule de deux pas, manquant de perdre l'équilibre. On dirait qu'elle veut parler, mais qu'elle se contient, comme si les mots étaient ses pires ennemis.

Le temps semble se comprimer violemment à l'intérieur du crâne de Judith. Ses jambes flageolent et elle sent une irrépressible envie de pisser monter en elle. Parvient à se retenir. C'est la première fois qu'elle est consciente du basculement, ce moment où l'ensemble de sa vie présente et passée se concentre en un seul souvenir lointain, qui bouillonne et ressurgit. Cette fille derrière le grillage et, plus loin, la caravane, comme un vaisseau immobile percé d'écoutilles. Les informations se bousculent. Elle est incapable de faire face à leur assaut. Ses mains se détendent, elle lâche le tablier et les grains de blé tombent en pluie sur le sol, révélant une grosse tache rouge sur le tissu de sa robe.

— Vous allez bien ? demande Cory désarçonnée.

— Tu me vouvoies, maintenant, dit Judith d'un ton dédaigneux.

— Pardon, c'est que…

— Bon Dieu, qu'est-ce que tu fais là ?

Cory pose sa voix et avec un sourire hésitant, elle demande :

— Vous me reconnaissez ?

— Si je te reconnais… bien sûr que je te reconnais.

— Virgile ne vous a pas prévenue, on dirait ?

— Laisse Virgile en dehors de tes manigances.

— C'est lui qui m'a dit que je pouvais venir.

— Je te crois pas, et arrête de me vouvoyer comme si on était des étrangères, bon Dieu.

— Je… t'assure que c'est la vérité…

— Pourquoi tu es revenue, tu trouves pas que tu as assez fait de mal comme ça.

— Du mal ?

— Ton mari, ta fille, tu les as pas abandonnés, peut-être.

— Ce n'est pas…

— Tais-toi ! Tu crois pouvoir te ramener la gueule enfarinée avec notre bénédiction, comme si de rien n'était.

Cory comprend ce qui est en train de se passer dans la tête de Judith.

— C'est moi, Coralie, ta nièce… Tu ne te souviens pas ?

— Te fous pas de moi…

— Tante Judith.

— Je veux plus jamais te revoir dans les parages, t'as bien compris ?

Cory tend un bras en direction de la clôture, et Judith se raidit et lève les bras à hauteur de ses yeux.

— T'avise pas de bouger d'où tu es.

Judith tourne les talons et s'éloigne à petits pas pressés et désordonnés, sans se retourner. Cory regarde sa tante, petite chose racornie entamée par les rayons du soleil, qui cabote d'un côté à l'autre du chemin et disparaît derrière un rideau de sumacs et d'érables, dévorée par leur ombre.

Le soleil entame son déclin, et Karl se décide à quitter la maison. Regarde à droite et à gauche avec insistance. Il ne porte pas d'arme. Passe devant le chenil et les chiens sautent aussitôt contre le grillage, sans qu'il ait le moindre geste compatissant à leur égard. Ouvre le portail, descend par le pré situé derrière l'écurie, puis s'enfonce dans les bois. Il marche de plus en plus vite, se met parfois à courir, s'arrête un instant pour vérifier ses arrières et repart en changeant de direction. Il effectue ainsi une large boucle qui le ramène à l'aplomb de la caravane, comme s'il avait voulu semer un poursuivant. Là où il voulait se rendre depuis le début.

Il repousse du pied la couche de feuilles sèches au sol sur un mètre carré environ et se tapit derrière le tronc d'un vieux chêne à l'écorce recouverte de lierre, le regard dirigé vers la caravane. Le temps se fige. Les trouées entre les branches laissent passer la lumière, et les ombres portées ressemblent à un grillage déroulé au sol en sous-bois, là où toutes sortes de minuscules légionnaires s'en vont mener des guerres à découvert.

Une buse se pose sur une branche au-dessus de Karl et se met à crier en laissant flotter ses ailes un instant, avant de les rabattre. Il ne relève pas la tête. Assis sur les talons, il se balance parfois d'un pied sur l'autre sans jamais dévier d'un pouce l'axe de son regard.

Mouvement.

Cory sort de la caravane. Karl enfonce ses doigts dans la couche de feuilles à ses pieds. Se tasse, tête coincée dans ses épaules. Elle observe la maison durant quelques minutes, puis contourne la caravane. Karl déplie son cou pour accompagner la jeune femme. Tout en marchant, elle étire son corps, ramène ses cheveux en arrière et les attache. La base de son t-shirt remonte au-dessus d'un jean sans ceinture, découvrant sa peau, et l'élastique fin et noir d'un slip.

Immobile, pareil à un phasme, Karl ne peut détourner les yeux. Un genre d'éternité dans laquelle il s'enfonce, jusqu'à abolir le temps. La vision de la jeune femme le percute, s'enfonce dans sa chair, grandit et se déploie en multiples fractales qui viennent buter et s'empiler sous la voûte étroite de son crâne.

Puis, comme si on venait de lui lancer un ordre, il se redresse, en la fixant toujours, cherche l'équilibre et part à reculons. Manque de trébucher sur une souche, se rattrape au frêle tronc d'un baliveau, pivote et se met à marcher dans le taillis à un rythme infernal en se retournant à plusieurs reprises.

La jeune femme, un écho qui n'en finit pas de résonner dans l'air pesant, échardes de bois sec fichées dans le cerveau de Karl, de manière à construire une image parfaite habitant la forêt. Il cherche le vertige en implorant la cime des arbres. Le vertige ne vient pas et le ciel entre le feuillage n'est plus qu'une succession d'ecchymoses. Des minutes qui font des heures, il ne sait plus. Impossible de résister davantage. Karl revient sur ses pas. L'endroit où il se tenait peu avant. Cory est occupée à étendre du linge. Il avance en catimini pour rejoindre le chemin. Cherche encore la peau nue, la frontière du slip, ses pensées liquéfiées en une salive acide qu'il n'avale pas. Manant courbé sur un destin de pénitence. Une branche brisée. Elle se retourne. Leurs regards se croisent durant un éclat de seconde et Karl s'enfuit, pareil à un voleur qui, seul, sait ce qu'il est en mesure de voler.

Quiconque le verrait à cet instant pourrait jurer que la folie suinte de ses yeux.

Karl se tient sous le sac de frappe suspendu à la poutre, comme un qui attend une divine sentence. Homoncule imparfait, honteuse bestiole humanoïde enfoncée dans sa propre misère. Il ne peut s'empêcher d'imaginer la jeune femme cambrée. Bête sauvage et peureuse, penchée au-dessus d'un point d'eau, assoiffée, méfiante. Des griffes lacèrent Karl de l'intérieur. Il voudrait que sa tête refroidisse, chialer, expier sous ce lustre de sable. L'impossible effacement.

Seigneur.
Arrête tes conneries, mon pauvre Karl.
T'étais sur le bon chemin, restes-y.

C'est vrai qu'il a tenu bon jusque-là. Quand cette femme lui a fait des avances, il a tenu bon. Il ne va plus guère au village pour cette raison, de peur de la croiser. Elle est venue le relancer chez lui et il a encore tenu bon. N'a pas craqué. Sa volonté, fille illégitime de sa frustration. Cette lutte, qui le ramène invariablement au genre d'homme qu'il a été.

Seigneur Dieu.
Reprends-toi, bon sang.
Tu fais pitié, là.
Tiens le coup.
C'est pas le moment de flancher.

Il se demande souvent quel est son véritable lien avec ce Dieu qui l'habite sans lui faire la leçon, si c'est bien le même que celui des autres croyants. Chrétien n'est pas un mot qu'il assume, il n'appartient à aucune religion humaine. Son message à Dieu, quand il se rend à l'église et s'assoit, toujours au dernier rang, alors que la place ne manque pas sur les bancs de devant. Ce Dieu qu'il reconnaît égoïstement comme son propre sauveur, ce Dieu qui refoule la chair pour d'autres ascenseurs spirituels, durables, comme sous-entendu tous les curés de la terre.

Karl ne se rend pas à l'église pour absoudre ses péchés, ça, il y a renoncé depuis longtemps. Il y retourne pour se sentir écrasé, dépossédé de lui-même, lapidé dans le tournoiement des chants, avec la sensation d'expulser de son corps des armées d'érythrocytes en quête d'oxygène. À chacun sa manière d'en découdre avec le Seigneur. Il a bien essayé de prier ailleurs, chez lui, dans la forêt, mais ce n'est jamais satisfaisant. Le musicien revient invariablement à l'église caler ses propres harmoniques sur les harmoniques divines.

Seigneur Dieu.
Pas maintenant.
La fille...
Veille sur elle, si tu veux, mais la touche pas.
Range ta queue dans ton froc et sers-t'en pour pis-
ser. Va voir la femme s'il le faut, explose-toi les pha-
langes sur ton sac, va courir avec tes chiens, prends ta
carabine, bourre-toi la gueule et va gerber en enfer,
mon pauvre ami.
Seigneur.
Mon...
Veille sur elle.

À l'époque, la réputation de Karl n'était plus à faire, tout le monde le connaissait en ville, et plus loin encore. Tous ceux qui avaient une femme à défendre se méfiaient de lui. Craint autant que sur les rings. Un drôle de paroissien. L'évidente raison pour laquelle le curé le regardait de travers, pendant qu'il déroulait sa morale crucifiée en oubliant de la saupoudrer de pardon. Pourtant, on en parlait bien du *Pardon* dans le *Message*, et aussi de la rédemption. Il avait retenu ce qui l'arrangeait, le curé, avec sa foi en niqab.

Ce même curé, qui regagna un jour l'autel alors que Karl s'avançait pour recevoir l'hostie, dernier de la file des communiants. Karl resta planté dans l'allée centrale, ne sachant comment réagir à l'humiliation qu'il venait de subir, puis retourna s'asseoir sous les regards des officiants, pareils à des aiguilles vaudoues fichées dans son thorax.

Il attendit la fin de la messe, que tout le monde fût sorti, pour entrer dans la sacristie sans s'annoncer.

À la vue de Karl, le curé balança ses deux mains bien nettes en avant, comme s'il secouait un drap sale.

— Qu'est-ce que vous faites ici ?

Karl se fendit d'un sourire.

— C'est pas très charitable, ce que vous avez fait tout à l'heure, monsieur le curé.

— Ce que j'ai fait !

— De pas vouloir m'offrir la communion, comme aux autres, je veux dire.

— Je n'avais plus d'hostie.

— Dans ce cas…

Karl fit mine de quitter la sacristie, puis se ravisa, comme s'il avait oublié une chose capitale à l'intérieur. Il s'approcha du ciboire recouvert d'un linge, posé sur une table, et le découvrit en opinant :

— On peut pas dire que vous soyez pas raccord avec les évangiles.

— Je ne suis pas certain de vous suivre, dit le curé, incrédule.

— L'histoire des pains, ça vous rappelle rien.

— Et alors ?

— Alors, à en juger par ce que je vois là, on dirait bien que vous avez réussi à les multiplier ces hosties.

— J'ai cru que…

Karl coupa le curé d'une voix débarrassée de toute fioriture.

— Cru quoi ? Pourquoi vous me dites pas ce que vous pensez de moi, ça serait moins hypocrite, vous trouvez pas ?

— Je n'ai pas à porter de jugement.

— C'est pas ce que vous faites, peut-être, en me fourrant pas cette hostie dans la bouche, reprit Karl en ricanant.

Karl s'interrompit, cherchant à capter le regard fuyant du curé.

— Me juger, c'est exactement ce que vous venez de faire devant tout le monde, et je suis même sûr que ça vous a fait bander, pas vrai ?

Le curé se rapprocha du guéridon sur lequel se trouvait une Bible.

— Partez, maintenant, j'ai des choses à faire.

— Vous bandiez, curé, n'est-ce pas… y a pas de honte à ça, vous savez, même pour vous. C'est humain ces choses-là.

— Sortez d'ici !

— Oh non, je pars pas sans vous avoir dit tout ce que j'ai sur le cœur et vous allez m'écouter encore un peu, que vous le vouliez ou non. Ça vous chagrine jamais de parler des choses que vous connaissez pas ? Non, bien sûr que ça vous chagrine pas. Oui, je baise des femmes, je trompe des maris, et je vais vous dire un truc, c'est pas vous que ça regarde. Dieu, j'y crois tout autant que vous, même si on prend pas les mêmes routes pour aller jusqu'à lui.

Karl prit délicatement une hostie dans le ciboire, s'avança vers le curé, et se mit à la balader devant son visage, comme un médecin agitant un bâtonnet, afin de tester les réflexes oculaires de son patient. Et il dit :

— Vous savez ce que vous allez faire, maintenant ?

— Ça suffit…

— Vous allez prendre cette hostie et rattraper votre bourde, voilà ce que vous allez faire.

— Et vous vous dites chrétien en agissant ainsi…

— Venez pas sur ce terrain-là avec moi, curé, vous pourriez le regretter.

— Je ne donne pas la communion dans la sacristie. On verra dimanche prochain.

— Il faut une première à tout, et je crois pas que vous êtes en position de discuter.

— Vous n'avez pas à m'imposer quoi que ce soit dans la maison de Dieu.

—- Tout de suite les grands mots. Moi, je crois que vous allez faire exactement ce que je dis, et justement parce qu'on est chez Lui, et pas chez vous, et que vous avez l'air de l'oublier quand ça vous arrange.

— Attendez-vous à répondre de vos actes devant Notre Père à tous.

Karl leva son poing libre, prêt à frapper.

— Taisez-vous, vous savez même pas de qui vous parlez !

Le curé se recula en renversant quelques babioles dorées disposées sur une étagère derrière lui. Karl prit un temps pour se calmer. De grosses veines rampaient sous la peau de son bras au bout duquel pendait toujours l'offrande et les mots finirent par sortir, malgré ses mâchoires serrées, comme des ombres s'insinuant sous une porte.

— Alors, vous faites ce que je demande, ou bien c'est moi qui vous la fais bouffer, cette hostie ?

Le curé saisit l'hostie en tremblant, puis la porta à la bouche de Karl pour en finir avec cette *mascarade*.

— Vous oubliez rien, curé ?

— Oublier quoi ?

— Les mots qui vont avec, il faut que je vous les rappelle peut-être ?

Le curé prononça la phrase rituelle à contrecœur, sans presque découper les mots les uns des autres, et déposa l'hostie sur la langue de Karl dans une attitude de dégoût qui lui déformait en partie le visage.

— Amen… Vous voyez que c'était pas sorcier, dit Karl en souriant amèrement.

— Partez, maintenant que vous avez eu ce que vous vouliez.

— Je m'en vais, mais la prochaine fois que vous vient l'idée de me refuser la communion en public, je vous jure que c'est moi qui serai pas charitable. Vous avez bien enregistré le message, ou il faut que je vous le traduise en latin ?

Au final, Karl ne s'était pas senti mieux après avoir poussé le curé dans ses retranchements. L'attitude de l'homme d'église l'avait ramené à sa propre souffrance, faite de pulsions à endurer sans possibilité d'y résister durablement.

Aujourd'hui, il ne sait toujours pas où se situe son salut, ni même si un quelconque salut existe pour lui. La délivrance en dehors de la mort.

Le silence étire son ombre, rogne et déplace les réalités. Effet du silence et de l'alcool, comparable à du chlorate de soude enfoui au cœur d'une souche. Karl tente de se lever de sa chaise, mais ses jambes le trahissent. Retombe lourdement sur l'assise en paille défoncée, se rattrape au rebord massif de la table. Prend son verre en main, le bascule, fait cogner le goulot de la bouteille à l'intérieur et verse le restant de gnôle.

Il ramène le verre contre son torse, dans l'attitude du plongeur qui prend sa respiration avant de se laisser couler sous la surface d'un lac. Puis il jette l'eau-de-vie dans sa bouche, lance sa tête en arrière, comme un qui chercherait à se donner le coup de grâce, et repose le verre sur la table rouée d'impacts et noircie de fumée. Engloutir un poison. Sa gorge le brûle. Une brûlure identique à celle ressentie lorsque des paumes glissent sans retenue sur des mètres de corde de chanvre. Le sol quelque part, trop près pour tuer, trop éloigné pour être d'un quelconque secours.

Des objets dansent autour de lui en vagues imma-
térielles qui enflamment le réel, consument l'air. Des
choses aux contours flous et mouvants, qui finissent
par s'accaparer progressivement l'espace de la cuisine
dans ses yeux envasés. Dos calé contre le dossier de
la chaise, il laisse choir sa tête en avant, sans en avoir
conscience, et son menton se soude au nord de sa poitrine, dans ce creux de transition qui n'est pas encore
le cou et plus tout à fait le buste. Dans son regard,
le verre et la bouteille chavirent sur le bois usé. Il
cherche un signe, une trace que quelqu'un aurait laissée. Quelqu'un qui le rend fou.

Plus tard, les derniers écheveaux d'alcool se
déchirent sous son crâne et tambourinent sur l'os à
la recherche d'une issue. Il se lève sans même tituber
et s'en va dépendre son fusil accroché à une pointe à
chevron par la courroie, derrière la porte d'entrée. Puis
il sort libérer ses beagles de leur enclos. Les chiens
pédalent un moment dans le vide, comme des person-
nages de dessin animé. Karl ajuste la bride du fusil
sur son épaule, évalue le ciel operculé par de lourds
nuages couleur de goudron et se met en route.

Les chiens contournent la maison et se précipitent
contre le portail fermé qui donne sur un pré. Ils aboient
en sautillant et pissent sans retenue contre le grillage,
comme s'ils voulaient en dissoudre les mailles. Karl
dénoue la cordelette qui maintient les deux battants
fermés, puis les beagles s'engouffrent par l'ouverture

en le bousculant et dévalent le pré en couinant, sur leurs petites pattes trapues à peine visibles dans le regain. De temps à autre, ils ralentissent, broutent un peu d'herbe pour se purger et repartent de plus belle en furetant et agitant frénétiquement leurs bajoues.

Karl coupe au plus court pour rejoindre l'étang au lieu de faire un détour par l'ancienne propriété des Ores et de passer devant les ruines de la grande bâtisse. Pas aujourd'hui. Après une demi-heure de marche sur la lande, les chiens s'animent et donnent de la voix à l'approche de la queue de l'étang, là où les joncs et les mousses prennent le pouvoir sur la prairie de carex, une ligne de partage en camaïeu de verts, fonçant sur les eaux noires à toute vitesse.

Karl fait basculer son fusil en agrippant la crosse d'une seule main, prêt à faire feu si jamais un quelconque gibier déboule au sol, ou dans les airs. Il progresse prudemment, attentif au travail des chiens et aussi à ne pas s'embourber. À une dizaine de mètres de lui, un couple de sarcelles surgit d'un buisson de roseaux dans une explosion de gouttelettes, décomposant la pâle lumière en un spectre parfait. Les ailes claquent en prenant appui sur le ciel. Karl épaule, tire deux fois. La seconde sarcelle quitte le sillage de la première et termine sa course dans l'étang. L'oiseau se débat. Emportés par leur élan, les chiens sautent en avant et retombent dans l'eau en jappant de surprise, puis remontent sur la berge en s'ébrouant.

Le battement des ailes de la sarcelle ralentit. Elle finit par s'immobiliser. Karl félicite les chiens en leur montrant le gibier abattu qui commence à lentement dériver. Ils aboient, s'approchent tout au bord de l'eau, se retirent, blasés et nullement décidés à aider leur maître à récupérer la proie.

Karl observe les eaux sombres à la surface desquelles naissent de petits andains fébriles vite bottelés par le vent, où des plumes détachées de la sarcelle s'en vont prendre place, telles des planètes en quête d'une orbite. Il jette un coup d'œil à ses chiens, revenus à l'endroit où se tenaient les sarcelles. Il pose son fusil au sol, canon calé contre une haute touffe de joncs, puis retire ses bottes et ses vêtements.

La fraîcheur le saisit aussitôt qu'il est entré dans l'eau, encore brûlant d'alcool, et des picots sourdent instantanément sur sa peau, pareils à des grains de tapioca flottant à la surface d'un potage. Il comprime ses muscles pour faire affluer un supplément de sang dans ses veines et s'enfonce dans l'eau en grelottant. Il se met à nager pour se réchauffer au plus vite. Le froid tenaille ses tempes et le clapotis à ses oreilles est un baragouin obsédant et honni. Terne et maladroit batracien, contre-couleur froide de la nuit froide des eaux.

Après quelques minutes passées à batailler, Karl atteint la sarcelle. Les chiens aboient sur la berge et il leur gueule de se taire. Les yeux au niveau de la surface, il regarde la rive opposée avant de repartir. Vision fugace. Comme une ombre sous les arbres. Il fixe l'endroit et une silhouette se détache parmi le fouillis végétal. Karl ferme ses paupières afin d'écoper les gouttes collées à ses yeux. La forme, maintenant accroupie, en tenue de camouflage, visage absent dissimulé sous une cagoule noire, qui le met en joue avec une arme. Karl cesse de bouger. Aspiré sous l'eau, il bat des mains pour remonter à la surface, sans lâcher la sarcelle.

Il se sent vulnérable, à la merci de cette silhouette menaçante. Une panique incontrôlable le saisit. Il fait volte-face, abandonne la sarcelle et se met à nager éperdument. Avale parfois une eau noire au goût aigre d'alcool, qui paralyse sa gorge, la recrache. Se retourne souvent, le souffle court, ne distinguant rien qu'une volée de gouttelettes produites par les mouvements désordonnés de ses bras, et le bruit de ses mains fait comme une série de détonations en frappant l'eau.

Lorsque Karl atteint le rivage, il se propulse hors de l'eau, s'agrippant à une grosse racine de saule posée là comme un sourcil incrusté sur le visage limoneux de la berge. Roule au sol, puis relève ses yeux embués en direction de l'étang. Ne distingue personne sur l'autre rive. Il attend que sa vue s'éclaircisse et que sa respiration reprenne un rythme normal. Rien. Plus rien que la sarcelle posée sur l'eau tel un radeau de plumes poussé par le vent.

T'es vraiment le roi des cons, mon pauvre Karl ! Il va falloir te reprendre, sinon, tu vas finir par avoir peur de ton ombre.

Mains dans les poches de sa veste, Georges marche sur un sentier bordé par un talus écobué au printemps. Perdu dans ses pensées.

Près du ruisseau, une grue moine déploie ses ailes et saute d'une patte sur l'autre en recherche d'équilibre, comme une qui voudrait éviter des braises. Quelques corneilles assises sur les branches d'un chêne semblent lancer des paris sur l'avenir de cette grande bête malhabile, incapable de langage commun.

Après avoir coupé par la lande, il rejoint la route qui mène à l'entrée du village, la remonte sur une centaine de mètres sans croiser la moindre voiture, puis longe un haut mur sur lequel s'étage une végétation minimaliste faite de joubarbes, de mousses et de polypodes communs. Parvenu devant un lourd portail en fer de guingois, il pousse un battant orné d'une croix, qui racle le sol en laissant une trace siliceuse. Entre dans le cimetière. Les reliefs disparates des tombes lui font penser à des dents gâtées dans une bouche. Georges progresse en funambule sur des trottoirs granitiques, prenant d'étroits goulets terreux creusés par d'autres passants et aussi les pluies.

Il rejoint la tombe de ses parents. Surface plane gravillonnée où dansent des touffes de graminées desséchées. Noms et dates sans épitaphe. Dédicace fraternelle en laiton, vissée sur une ardoise peinte.

Cette visite n'a rien de solennel. Nulle génuflexion, nulle prière aux morts égoïstes. Georges attend, comme s'il épiait un signe. Petit concierge visitant une demeure délaissée, insuffisante à contenir le moindre corps supplémentaire. Deux âmes bataillant sous la limaille minérale, comme doivent le faire toutes les âmes prématurées.

Rien ne se passe. Georges pense qu'il s'est trompé en venant ici, qu'il n'y a décidément rien à attendre de ruines, qu'une commémoration insincère, et qu'il n'a pas besoin de permission pour mettre à exécution son projet, encore moins de la leur. Il quitte le cimetière, suivant le dédale emprunté à l'aller, avec la sensation de ses pas déchirant la rocaille, le commun langage, la commune mesure du monde des morts qu'il laisse à leurs affaires. Ces traîtres qu'il n'aura jamais la chance de renier. Ces fantômes qu'il s'apprête à convoquer en un tout autre lieu.

La grue est toujours posée au même endroit, immobile, prisonnière des mâchoires d'un étau formé par le ciel obscur et la lande enluminée, les corneilles à son chevet. De grosses gouttes de pluie s'écrasent alentour, pareilles à des crachats.

Des hirondelles à ventre blanc s'ébrouent en trissant sur le fil gainé du téléphone et des sujets isolés viennent grossir la ribambelle en place, respectant l'espace entre chacune. Une fine couche de givre recouvre le sol. La première gelée digne de ce nom, l'exact reflet du ciel, déligné par une maigre végétation composée de broussailles et d'arbrisseaux.

Georges n'a jamais été véritablement sensible aux symboles, et pas non plus aux signes envoyés par la nature dont on lui a tant vanté la sagesse. Il ne prête attention aux causes et aux conséquences que si elles ont une incidence directe sur son mode de vie. Il n'a jamais songé à s'en excuser auprès de la lune vénérée, car, justement, il rejette depuis toujours la vénération inconditionnelle du passé, le respect des traditions, toutes ces croyances sans fondement à ses yeux.

L'aube éclaire la façade de la maison de ses parents. Georges fait jouer la clef dans la serrure, surpris que le mécanisme ne soit pas grippé. Il pousse la porte et demeure un instant dans l'ouverture béante, comme un profanateur hésitant devant l'entrée d'un sanctuaire. Puis il sort une torche de sa poche, l'allume et s'avance de deux pas, s'attendant à voir reculer quelque animal nocturne dans la pénombre, ou quelque fantôme, des présences désarçonnées. Mais il n'y a que du silence pour l'accueillir, des meubles massifs et des ustensiles du quotidien fossilisés, révélés par le faisceau lumineux, disséminés çà et là avant de rejoindre l'obscurité, comme si des gens les avaient livrés, avec l'idée de revenir pour s'en servir à nouveau un jour. Une table rectangulaire aux allures d'autel, un torchon déplié en chemin de table et des couverts abandonnés à une poussière épaisse, pareille à de la farine de froment, et un haut pichet en gré, forme consacrée. Tous ces objets qui paraissent étonnamment familiers à Georges. S'il n'y avait les toiles d'araignées et les traînées de sciure dispersées sous les poutres, ce serait un endroit qui patiente.

Georges prend une longue goulée d'air, se concentre pour ne pas se laisser envahir par l'émotion. Se dirige vers une fenêtre, fait naviguer la crémone sans difficulté, une nouvelle fois surpris que ce mécanisme non plus ne se rebelle pas. Quelques morceaux de mastic glissent des petits-bois entourant les carreaux. Georges repousse les volets contre le mur et fait de même pour les trois fenêtres du rez-de-chaussée, qu'il ouvre également sans aucune difficulté.

Une lumière résignée inonde lentement l'intérieur de la pièce. Georges se sent vite oppressé à la vue d'objets que la torche n'avait pas encore éclairés. Sa mémoire tente de recombiner à son insu des fragments enfouis dans les replis de l'enfance : cette casserole posée sur le tablier en fonte de la cuisinière, qui fait monter le goût du lait chaud dans sa gorge. S'il se met à gamberger maintenant, il se dit qu'il va vite ressortir, alors il entreprend de visiter toutes les pièces de la maison. La sensation d'être un voyageur égaré dans une faille temporelle.

Il monte à l'étage par un escalier en bois. Ouvre une première porte. Un courant d'air s'engouffre dans la pièce, soulevant de la poussière accumulée. Georges suffoque, plaque une main sur sa bouche et entre, poussé par une irrésistible force puisée dans sa moelle. Cette chambre. Ce lit, une barque posée sur une mer de lames, houle immobile. Tout autour se dressent des murs en écume de chaux, contrecollés d'une image punaisée sur son propre cœur. Face au lit, une photographie de ses parents le jour de leurs noces. Ils sourient. Un bonheur figé qui déchire le ventre de Georges. Le visage de sa mère. Qu'il reconnaît. Qu'il n'a jamais oublié. Ne pouvant supporter davantage la vision, il arrache la photo, la fourre dans sa poche, puis redescend en trombe et sort par une porte donnant sur l'arrière de la maison. À peine dehors, il se penche en avant et vomit sur des dalles de pierre aussi vastes que des dolmens évanouis.

Debout, les jambes écartées en recherche d'équilibre, Georges crache un dernier jet de bile, puis lève les yeux en direction du verger. L'oncle Virgile se tient là, au pied d'un arbre sec et étiolé, haut d'une dizaine de mètres, ressemblant à un gigantesque balai de cantonnier, encore haubané par trois piquets. Un arbre qui n'a rien à faire dans un verger. Et la voix de son oncle lui parvient, comme après un long et douloureux voyage.

— C'est pas une chose facile que tu viens de faire là.

Georges regarde son oncle, comme s'il s'agissait d'un étranger.

— Quand est-ce que t'as décidé ça ?

— J'ai rien prémédité.

— Ça se passe pas bien… avec elle ?

— Qu'est-ce que tu racontes ?

Virgile relève la tête en direction de la cime de l'arbre.

— Un peuplier qu'on a planté pour leur mariage.

— Je te demande rien, dit Georges tout en rapprochant ses jambes l'une de l'autre.

— Maintenant que tu es entré, c'est peut-être le moment de parler.

— Toi, parler !

— Tu vois.

— Et de quoi on devrait bien parler d'après toi ? dit Georges sur un ton provocateur.

Virgile hoche la tête, d'un air résigné.

— Finalement, tu as sûrement raison, j'aurais pas dû te déranger. Je te laisse.

— Attends !

— …

— J'avais pas à réagir comme ça, excuse-moi.

— Pas grave, je comprends que ça te remue, tu sais.

Georges se tourne vers la maison, puis revient à son oncle.

— Personne peut comprendre, à part moi.

— T'es pas obligé de faire ce que tu fais, si c'est trop de douleur.

— Ce que je fais ?

— Leur maison, je veux dire, tu peux encore laisser passer du temps.

— J'en ai suffisamment laissé passer. Il faut bien que je me décide à chasser les fantômes, à un moment.

— Les chasser ?

— Je peux pas continuer à être un lâche toute ma vie. Cette maison, c'est aussi la mienne.

— Bien sûr que c'est la tienne, mais y a rien qui presse.

— Et moi, je crois que si.

Virgile poursuit, comme s'il n'avait pas entendu Georges.

— Je te connais une autre maison, qui va te revenir forcément, et une ferme toute entière avec.

— Qui te dit que j'en voudrais ?

La voix de Virgile, tel le son produit par une herse traînée dans un champ.

— On n'a personne d'autre à qui la donner.

— T'auras qu'à vendre, quand tu pourras plus t'en occuper.

Virgile recule d'un pas, comme s'il venait de prendre un poing en pleine figure.

— Vendre à des inconnus, quitter *Les Cabanes*, c'est ce que tu es en train de me dire ?

— Quelle importance…

— Abandonner à d'autres un endroit où on a tous vécu.

Georges lève les yeux vers la cime desséchée du peuplier.

— Ça mène où, d'après toi, de croire qu'on est une famille, juste parce qu'on porte le même nom ?

— J'en sais rien.

— Je vais te le dire, moi : ça sert à regarder un arbre mort qui a jamais tenu ses promesses.

— C'est peut-être à toi de changer ça.

— Des grands mots.

La voix de Virgile, pareille au vent qui s'épuise quand il pénètre sous un taillis.

— Je te jure qu'on a toujours cru faire au mieux, Jude et moi.

— Laisse tomber, je voulais pas te faire de peine.

— Et toi, pense plus à ce que je t'ai dit. Tu y réfléchiras plus tard, c'est pas le bon jour pour ça.

— Ce jour, ou un autre, je crois pas que ça changera grand-chose.

Virgile n'insiste pas. Dans son regard, il y a la forme massive de la maison de son propre frère. Il cligne des yeux pour étouffer les gouttes qui menacent de s'écouler, abaisse la visière de sa casquette sur son front et s'avance sous un pommier où s'affairent des guêpes et des frelons aux plastrons luisants comme de

171

la paille d'orge. Il se penche, ramasse un fruit tavelé, et entreprend de le polir sur l'avant de son gilet, jusqu'à ce qu'il devienne aussi brillant que la cutine sur une feuille de buis.

— Regarde, comme elles sont toutes piquées, ces pommes, pleines de défauts, mais c'est pourtant pas à toi que je vais apprendre le goût qu'elles ont... bien meilleures que celles qui en ont pas... des défauts.

— Ça doit être pour faire fuir les cons, dit spontanément Georges en esquissant un sourire.

— C'est bien possible, ou peut-être qu'elles peuvent pas être autre chose que ce qu'elles sont, dit pensivement Virgile.

— J'ai déjà entendu ça à propos d'autres sujets qu'une pomme.

— C'est peut-être que ça va à pas mal de sujets.

Virgile frotte de nouveau le fruit sur sa veste, et, comme s'il se parlait à lui-même :

— Tu sais comment il appelait ces pommes, ton grand-père ?

— Non, tu me l'as jamais dit.

— Des pommes truitées, c'est comme ça qu'il les appelait... rapport aux petits points bariolés qui ressemblent à ce qu'on peut trouver sur la robe d'une fario.

— C'est un joli nom, dit Georges avec, au milieu de la phrase, une cassure qui l'oblige à avaler de la salive.

Virgile s'approche de son neveu et lui tend la pomme. Voyant qu'il ne réagit pas, il dit :

— Tu peux y aller, elle est pas empoisonnée.

Georges saisit la pomme et se met à détailler les multiples tavelures qui enclavent l'épicarpe, comme s'il cherchait à y lire le passé.

— C'est une bonne chose que tu l'aies ouverte, cette maison, finalement.

Georges regarde son oncle avec insistance, puis il dit, comme s'il venait tout juste de se réveiller :

— Je suis pas le premier, à ce qu'on dirait.

— Qu'est-ce que tu veux dire ?

— J'ai l'impression que quelqu'un vient régulièrement l'ouvrir quand je suis pas dans le coin.

Virgile fait rouler une pomme du bout du pied.

— Et on devrait lui en vouloir à ce quelqu'un, d'après toi ?

— J'imagine qu'il doit avoir ses raisons.

— Probablement qu'il en a.

— Ce qui est sûr, c'est que, s'il était devant moi, je lui en tiendrais pas rigueur, peut-être même que je le remercierais.

— Il doit pas attendre après, à mon avis.

— Dis-moi ce que tu penses vraiment, pour une fois ?

— On serait ni meilleur ni moins bon, si on savait ce que pensent les autres, mais on peut pourtant pas s'empêcher de le croire.

Virgile sort un mouchoir d'une poche et se tamponne les yeux par petites touches délicates.

— Tu as mal aux yeux ? demande Georges.

— C'est le soleil qui me gêne.

Les yeux de Virgile sont réduits à deux fines entailles.

— Faudrait qu'on regreffe les arbres qui sont repartis à bois, dit-il.

— On devrait surtout en planter de nouveaux, tu crois pas ? Ceux-là sont plutôt mal en point.

— Ce serait pas une mauvaise idée, en effet.

Georges caresse la pomme, puis la porte à sa bouche et croque. Le jus gicle sur ses lèvres et il grimace à cause de l'acidité du fruit. Il mâche longuement pour ne rien perdre de la chair, puis recrache la peau, et dit :

— Faudrait aussi penser à refaire du cidre.

— Y a plein de choses qu'on devrait faire tant qu'on peut.

Une lumière rasante ébrèche les troncs des fruitiers. Des passereaux vont d'arbre en arbre en pépiant, agiles et ternes petits perroquets, guettant des mouches affolées en quête d'un abri pour y déposer leurs œufs. Une grive draine s'envole d'un bouquet de gui fixé à une branche de pommier et se met à raffûter l'air de ses ailes en abandonnant un chant rugueux. Au loin, quelques bovins broutent dans une prairie et balancent leurs grosses têtes en mastiquant, leurs robes brunes en harmonie avec la terre nue.

Après que Virgile a quitté le verger, Georges demeure longtemps assis derrière la maison, à brasser ses pensées. Il vient de comprendre qu'il ne parviendra probablement jamais à chasser les fantômes enfermés dans sa poche, mais à les apprivoiser, peut-être.

Il est treize heures quand il décide de rentrer. Du linge flotte sur le fil, près de la caravane, le détournant instantanément du magma confus de ses idées. De petits triangles de tissus, trames opaques ou transparentes, géométrie emmêlée de culottes et de soutiens-gorge égayée par la brise en notes cotonneuses. Les sous-vêtements de Cory, offerts au ciel, aiguille l'imagination de Georges vers d'autres contrées, réduisant son être au vide de ses mains, ses doigts orphelins.

Une odeur de terre fraîchement remuée flotte dans l'air, accompagnée d'une autre, florale, qu'il reconnaît aussitôt.

Cory se tient juste derrière lui. Elle l'observe depuis quelques instants, d'un air amusé.

— Tu crois que c'est sec ? demande-t-elle.

Le visage de Georges s'empourpre.

— J'en sais rien… je regardais comme ça… je veux pas être…

Georges se tourne vers la plate-bande désherbée :

— Tu as rudement bien travaillé.

— Merci, j'aurais peut-être dû te demander, avant.

— Au contraire… t'as trouvé des outils ?

— Je me suis débrouillée.

— Je me souviens pas avoir jamais vu ce coin aussi propre.

Cory relève une mèche de cheveux du revers de la main.

— J'ai vu tante Judith, tout à l'heure.

— Tu es descendue à la ferme ?

— Non, c'est elle qui est passée.

— Virgile était pas avec elle ?

— Non.

Georges hoche la tête.

— Elle se sera certainement perdue une fois de plus.

— Perdue… Je n'en suis pas certaine.

— Elle t'a parlé ?

— Oui.

Cory laisse planer un silence.

— Elle m'a dit que je n'étais pas la bienvenue.

— J'imagine que Virgile lui a pas parlé de toi, pour pas la perturber davantage.

— J'imagine aussi, mais il s'est passé quelque chose d'étrange…

176

Georges plisse les yeux.

— Elle m'a confondue avec quelqu'un d'autre.

— Avec qui tu veux qu'elle t'ait confondue ?

— Ma mère.

— Merde ! Tu l'as dit à Virgile ?

— Je voulais t'en parler avant.

— Tu as bien fait, je crois pas que ce serait une bonne idée…

— Elle avait l'air tellement désemparée.

— On verra ce qui se passe, mais elle a déjà probablement oublié.

Cory chasse l'image de la vieille femme et tend un bras en direction du toit de la maison de Karl.

— C'est qui ce type qui habite plus bas ?

Georges accuse le coup, une demande à laquelle il ne s'attendait pas.

— Lui aussi, il est venu te voir pendant que j'étais pas là ?

— Pas vraiment, j'étendais mon linge, tout à l'heure, quand il est passé dans le chemin.

— Il devait aller voir mon oncle.

— Il a fait comme si j'existais pas.

— Il t'a peut-être pas vue.

— Ça m'étonnerait, il a tout de suite tourné la tête de l'autre côté quand je me suis aperçue de sa présence et il a filé. Pourtant, je suis à peu près sûre qu'il me regardait faire depuis un moment.

— Karl, dit Georges, comme s'il faisait claquer un fouet dans le vide.

— Tu le connais bien ?

— Pas plus que ça… un drôle de type.

— Un drôle de type ?

— Je sais pas grand-chose sur lui, en vérité, à part qu'il était cheminot et un peu boxeur, avant de venir s'installer ici.

— Il vient d'où ?

— J'en sais pas plus sur lui, et ça me va bien.

— On dirait que tu ne l'aimes pas beaucoup.

— J'ai aucune raison de l'aimer, ou de pas l'aimer. J'ai jamais eu confiance, c'est tout.

Cory lance un regard en direction de la maison de Karl.

— Peut-être qu'il a des choses à oublier, lui aussi.

— Possible.

— Quel âge a-t-il ?

— Dans les soixante ans…

Georges ne peut contenir davantage son agacement.

— Pourquoi toutes ces questions ?

— Pour rien…

— Il t'intéresse tant que ça, ce type ?

— Qu'est-ce que tu vas imaginer, je pourrais être sa fille. C'est juste que j'ai envie de connaître un peu mieux les gens qui vivent ici.

La réflexion de Cory dans ce sens surprend Georges. Lui, il aurait dit que Karl pourrait être son père à elle, et il ne comprend pas pourquoi la formulation revêt autant d'importance à ses yeux.

Judith se tait depuis deux jours. Quand elle se déplace dans la maison, on dirait une ombre qui cherche à disparaître aussitôt. Elle ne veut plus sortir. Virgile lui parle de banalités, pour tenter de la faire réagir, mais elle ne répond jamais. Se traîne jusqu'à la cuisinière à bois, glisse une bûche dans le fourneau, avant de retourner s'enfermer dans sa chambre.

Il l'a entendue sangloter dans la matinée. Est allé frapper à la porte de la chambre pour lui demander si elle avait besoin de quelque chose. N'a pas eu de réponse. A résisté à l'envie d'entrer. Les sanglots étouffés. Puis, le silence.

Une odeur de volaille rôtie flotte dans la cuisine.

Karl ne passe plus voir Virgile. Pour rien au monde il n'aurait manqué le café arrosé du matin. Il le sent perturbé depuis quelque temps, à ne même plus lui demander de lui faire les mains.

Virgile découpe le poulet qu'a tué Judith, dispose les morceaux dans une assiette, cure la carcasse avec la pointe de son couteau. Termine par les sot-l'y-laisse, puis lèche ses doigts graisseux en regardant le vent rabattre la pluie contre les vitres. En fond sonore, la voix monocorde du téléviseur déroule les actualités régionales. Quelques mots sortis de leur contexte frappent par instants une zone indéterminée de son cerveau et il ne sait qu'en faire. Il met cela sur le compte des bourrasques qui l'empêchent de saisir ce qui se dit, de s'y intéresser même. Il n'y a pas si longtemps, les choses ne se seraient pas passées de la sorte, il aurait pris le temps de regarder la télé, avec Judith en train de commenter les affaires d'au-delà de Toy avec ferveur, comme si elle était une vitre sur laquelle des garnements balançaient des graviers. Virgile tente de se souvenir du mot qui caractérise ce genre de travers bienveillant, un mot entendu lors d'une émission, puis oublié. Il sait simplement que ce sont les gens bien qui en souffrent.

Il cherche une amarre dans la pièce, un objet, peu importe lequel, quelque chose à faire qui le sauverait de la dérive. Il a beau réfléchir, se concentrer, il ne se souvient pas que le bonheur ait franchi durablement le seuil de sa porte. Trop poli pour déranger, le bonheur. Un projet démesuré. Si haut que sa mémoire parvient à grimper, il y a toujours eu une tragédie pour fausser la direction. Il aimerait bien être comme Karl, avoir cette croyance aveugle, faire renaître l'espoir à l'envi, en convoquant des puissances supérieures. Ce qu'il suppose. Mais voilà, il n'a jamais eu le genre de foi qu'on trouve sous le sabot d'un curé. Certes, il lui est déjà arrivé de prier à la guérison d'une bête et d'invoquer le nom de Dieu, avec, dans un coin de sa tête, l'idée d'allumer des chaufferettes contre le gel. Pour des humains, il ne se souvient pas l'avoir fait.

Depuis toujours, il a le sentiment de serrer si fort son destin de paysan entre ses mains, qu'il a fini par ne plus sentir palpiter son cœur au bout des doigts. Il a fait ce qu'il fallait pour étouffer la moindre velléité désordonnée de toute autre forme de destin. Constamment dans la maîtrise. Personne ne s'est assis à sa table sans y être invité. Si seulement il était seul à endosser ses regrets en cet instant, il pourrait se saouler à longueur de journée, faire sortir dieu ou diable de sa coquille. Mais il y a Judith, qui respire à côté et dont la mémoire n'est plus qu'une volée d'îlots face à un océan qui se dresse.

— Virgile !

Judith se tient dans l'embrasure de la porte de la chambre, vêtue d'une robe noire repassée et ses cheveux sont peignés. Virgile ne l'a pas entendue arriver. Heureux qu'elle sorte enfin de son mutisme. Elle sourit, comme ces gens sur les photos, qui ne savent à qui sera destiné ce sourire, mais qui s'appliquent au souvenir qu'ils laisseront derrière eux. Des lustres qu'il n'a pas vu sa femme apprêtée de la sorte.

— Je te dérange ?

— Non, bien sûr que non.

Judith explore du regard l'intérieur de la cuisine, comme si c'était la première fois, puis revient à Virgile. On dirait qu'elle force les mots à franchir le pas de sa bouche :

— Tu veux bien me raconter comment on s'est rencontrés ?

— Jude.

— S'il te plaît... je te promets que je te le demanderai plus jamais.

Un éclair lumineux se plante dans le cerveau de Virgile, des mots s'enflamment et s'éteignent instantanément quand il parle :

— Tu avais trouvé ce chat blessé au bord de la route, et tu es montée à la ferme pour demander s'il était pas à nous…

Virgile s'arrête brusquement de parler. Il ne voit pas où cela mène. Judith perçoit son trouble et le prie de continuer, pliant légèrement les genoux à la manière d'une petite fille capricieuse à qui on aurait fait une promesse qu'on envisagerait de ne plus tenir.

— C'est moi qui t'ai reçue. On habitait à moins d'un kilomètre l'un de l'autre à vol d'oiseau. T'avais quinze ans et j'ai réalisé d'un coup que j'avais jamais vraiment fait attention à toi.

Virgile déplie ses grosses mains, comme s'il avait à recueillir un petit animal perdu.

— À l'époque, je fréquentais une autre fille, c'était sérieux, on parlait de se marier.

— …

— On s'est pas dit grand-chose ce jour-là, mais je voyais plus que toi, même quand je regardais ailleurs.

— Pourquoi tu me l'as jamais dit ?

— Je te l'ai peut-être dit autrement, j'ai jamais été doué pour dire les choses comme il faut.

— Et moi, qu'est-ce que j'ai fait, ce jour-là ?

— Rien, mais tu m'as dit plus tard que t'avais eu de drôles de frissons.

Judith sourit en regardant ses pieds.

— C'était qui, cette fille ?

Virgile sourit à son tour.

— Je changerai pas d'avis, Jude.

— Tu as intérêt, dit-elle, faussement offusquée.

— Le lendemain, je suis allé t'inviter à venir au bal avec moi. Tes parents trouvaient que t'étais bien jeune, mais j'ai dû être convaincant.

— J'ai accepté ?

— Quand tu as vu que tes parents étaient d'accord, tu m'as demandé à quelle heure je passerais. T'avais même l'air rudement pressée que le jour arrive…

— Je peux imaginer.

— Bon Dieu, ce que t'étais belle.

Judith se rembrunit.

— C'est vrai que maintenant, je le suis plus.

— Arrête de dire des bêtises.

Le regard de Judith se perd.

— C'en est pas.

— On s'est embrassés pour la première fois le soir du bal, et pas une seule fois dans ma vie je l'ai regretté, pas plus hier qu'aujourd'hui, et demain, je te jure que ça sera pas différent…

— Ce chat, il était à toi ?

— Non. Tu es repartie avec et tu l'as soigné, je crois bien.

— Ça me ressemblait ?

— Ça te ressemble toujours.

Quelque chose change sur le visage de Judith, comme une ombre qui en atténue les rides.

— J'ai besoin de toi.

— Moi aussi j'ai besoin de toi.

— Il faut que tu m'aides.

— Que je t'aide à faire quoi ?

Virgile s'approche d'elle. Elle tremble et l'ombre a disparu de son visage, qui semble se fissurer aux coins de sa bouche, comme si son menton allait se détacher du reste.

— Je veux que tu m'aides à partir.

Virgile relève ses mains, trop loin d'elle pour la prendre dans ses bras et sa voix chevrote.

— Tu veux aller où ?

— Je peux plus continuer à vivre comme ça.

— Qu'est-ce que tu racontes ?

— C'est plus une vie... ça sert plus à rien.

— Je t'interdis de dire ça...

— Il faut m'aider à mourir.

Les mots de Judith flambent. Virgile pense qu'ils vont s'éteindre tout seuls et que tout va rentrer dans l'ordre. Qu'il n'a qu'à fermer les yeux pour tout effacer. Mais rien ne se passe de la sorte.

— Bon Dieu, tu peux pas me demander une chose pareille.

Judith s'avance, saisit les mains de Virgile et les rassemble dans les siennes, comme s'ils priaient tous les deux.

— À qui d'autre ?

— On va s'en sortir ensemble, ou pas du tout.

— On peut pas s'en sortir ensemble.

— Arrête avec ça, je t'en supplie !

— Tu sais très bien que j'ai raison, si tu prends le temps de regarder les choses en face.

— Bien sûr que non… T'as pas raison…

— J'en ai plus pour longtemps avant de plus être en mesure de tenir les moindres propos cohérents… Je vois même des gens qui existent pas.

— Les médecins disent que…

— Ils sont pas à ma place, les médecins.

Judith laisse ses mains retomber le long de son corps, comme si elle balançait deux ancres par-dessus un bastingage.

— Tu veux quand même pas me retirer le peu de dignité qui me reste.

— Il s'agit pas de ça.

— Justement, si, il s'agit de ça. Mourir, ici, près de toi. Et pas finir chez les dingues, c'est tout ce que je demande.

— On a le temps, je te promets qu'on y reviendra plus tard, si c'est toujours ce que tu souhaites.

Judith agrippe violemment les bras de Virgile.

— Bon sang, mais j'en ai plus, du temps…

— Je vais m'occuper de toi… ça va aller.

— Tu as bien assez de toi.

— Qu'est-ce que tu veux dire ?

— Je suis peut-être en train de devenir folle, mais moi, tu me trompperas jamais. Tu es trop vieux pour le poids que je suis devenue.

— On a toujours avancé ensemble, alors, crois pas que je vais te laisser prendre de l'avance sur moi.

Judith sourit.

— Je bougerai pas de place en t'attendant, c'est promis.

Virgile se dégage, faisant mine de retourner à une ancienne et importante occupation. Tenter d'en finir avec cette conversation.

— Tu devrais aller te reposer un peu, maintenant.

Un rictus de douleur déforme le visage de Judith.

— Arrête de faire semblant que tout va bien. Tu veux quoi ? finir toi aussi par devenir fou à force de me surveiller ? Je jure que j'irai me noyer dans l'étang si tu me laisses pas le choix, mais c'est pas ce que je veux...

Des larmes emplissent les yeux de Judith et sa voix n'est plus qu'un chant porté par le désespoir.

— Je veux pas que tu me voies laide, toute gonflée, tu comprends. Et je veux pas non plus que tu aies des problèmes. Je voudrais que tu gardes en mémoire ta Judith, tant qu'il reste encore un peu d'elle. Le meilleur et le pire, tu te souviens ?

Virgile pointe un doigt en direction du manteau de la cheminée.

— Et lui, tu en fais quoi ?

Judith se signe en regardant le Jésus, la tête calée sur une épaule et les mots qu'elle prononce semblent se poser sur le bras tendu de son mari, comme des oiseaux sur un fil, prêts pour le départ.

— Je suis sûr qu'il m'en voudra pas.

— Et l'enfer, t'y as pensé à l'enfer ?

— Justement, l'enfer, c'est là que je vais tout droit, si tu m'aides pas.

— Qu'est-ce que je vais devenir si t'es plus là ?

— Ce que tu as toujours fait, continuer à être le meilleur des hommes.

— Tu sais bien que c'est pas ce que je suis.

— C'est ce que tu as toujours été pour moi.

— Tu as décidément pensé à tout.

Judith ne dit rien et Virgile pose un regard noyé sur elle.

— J'ai jamais pu te résister, dit-il.

— Ça, j'ai pas besoin que tu me racontes, dit-elle en effleurant la joue de Virgile d'une main.

Virgile voudrait s'asseoir, se recroqueviller, annuler son propre poids qui l'écrase. Dans un ultime espoir, il souhaiterait que Judith sombre, que cette satanée maladie s'amène au galop, qu'une nouvelle crise vienne pour une fois à son secours, mais rien ne se passe de la sorte. Au fond de lui, il sait qu'elle a raison.

Le vent et la pluie ont cessé de jouer au chat et à la souris. Dans la pièce, il y a cette femme et cet homme qui semblent apposer silencieusement leur signature au bas d'un registre.

Le couple sourit gravement sur le couvercle de la boîte, on le dirait inquiet d'un même corps. Désormais, le cheval peine à tirer la calèche et, au-dessus, de gros nuages noirs broutent le bleu du ciel. Ce que voit Judith.

Elle laisse dériver des images sur le radeau démembré de sa mémoire. Le portrait de sa délivrance apparaît alors. Naturellement. Sans qu'elle ait à faire le moindre effort. Le visage craquelé de Virgile ressemble à un champ labouré plus profondément année après année. Virgile, qui lui a rappelé tout l'amour qu'elle a eu pour lui et dont il ne subsiste qu'une fidélité à un antique pacte qu'elle ne se souvient même pas avoir scellé.

Elle ne lui laissera pas le temps de se ressaisir. Tout se passera ce soir.

Elle entend les sons produits par des objets déplacés dans la cuisine. Des bruits, comme le craquement de la glace sur un étang gelé. À l'esprit de Judith, des fragments épars pris dans une masse en cours de dégel.

L'image du petit chat tigré qu'elle avait apporté à la ferme de Virgile et qui lui appartenait, en vérité.

Judith abandonne la boîte sur le lit sans plus de considération pour ce qu'elle contient. Pose ses mains sur ses genoux, qu'elle se met à caresser, un contact doux et agréable, puis elle ralentit le mouvement et ses doigts se figent, pareils aux pattes décharnées d'un oiseau enserrant une branche. Encore consciente de tout l'instinct qui l'anima un temps.

Ce soir.

2

Tant qu'il y a suffisamment d'oxygène en elle,
Judith a la sensation que de petites étoiles filantes pig-
mentent l'obscurité, comme de la poussière de comète.
Elle voudrait se laisser aller, mais son corps résiste,
tremble, palpite. L'oreiller pressé sur son visage l'empêche de respirer. Ses poumons livrés à l'incendie.
Elle plie et déplie ses jambes, piétine le sommier, et sa
chemise de nuit drape ses chevilles à la manière d'une
grosse méduse empoisonnant patiemment sa proie.
Ses mains frappent malgré elle les flancs de Virgile.
La tête comprimée sur le bois du lit, les moulures en
bouquet de roses. Son bois de justice. Elle lutte, par
pur instinct de survie. Ne peut s'en empêcher. *Ça ne
va pas durer*. Ça ne dure pas. Le martèlement de ses
pieds ralentit, pareil à des bielles lentement privées
d'énergie motrice. Ralentit encore. Se fige. La poussière de comète semble rapatrier dans son sillage un
troupeau d'étoiles qui s'agglutinent en masse, au sein
de laquelle chacune apporte sa brillance au corps
céleste en devenir. Son propre corps céleste.

Judith ne lutte plus. Ne souffre pas. Tout est parfaitement clair en elle. À aucun moment elle n'a sombré, certainement préservée de la folie par la douleur. Ce qu'elle a souhaité plus que tout est en train de se produire. Il y a bien encore un peu de vie en elle, mais elle ne sent plus le contact de l'oreiller sur son visage. Pas plus que les contraintes de son corps. Virgile est allé jusqu'au bout. N'a pas failli. L'instrument de sa dignité. Tout en se débattant, elle l'a entendu renifler, jurer, chialer comme un gosse, la maudire en criant son prénom, probablement pour se donner le courage nécessaire. Désormais, elle voudrait lui dire qu'elle l'aime, comme avant, depuis ce vortex transitoire situé entre vie et mort, plus tout à fait l'un et pas encore l'autre, cet endroit de paix qu'elle rejoint sans effort.

La nuit disparaît enfin et tout s'illumine. L'existence terrestre n'a désormais aucun sens à ses yeux, pas plus que les questions qui jalonnent son chemin, et l'espace tout entier s'emplit de lumens qui prennent la direction de son cortex primaire, comme attirés par une matrice. Et au moment où les lumières se confondent, elle se sent tout entière contenue dans une unique clarté, perdue, attendant la révélation, ne sachant pas encore si elle s'est trompée, s'il existe vraiment, celui qui entretient le doute et dégraisse les âmes. Ce doute qui lui fait oublier tout le reste dans un ultime égoïsme, une dernière salve de mélancolie.

Alors, le monde disparaît, et l'infini de l'univers se déroule devant elle, et nulle chair ne l'encombre.

Sous la fenêtre de la chambre, des pintades en troupeau déglacent l'air de leurs cris obsédants. Petites pleureuses aux plumes grillagées, presque belles, hormis leurs têtes blafardes de charognards maquillés.

C'est fini.

Virgile est agenouillé sur le lit. Mains cramponnées à ses cuisses, les yeux rivés à l'oreiller toujours posé sur le visage de Judith. Elle ne bouge plus, mais il ne se résout pas à le retirer. Peur. Peur de faire face à la réalité de son acte, son irréversibilité, de ceux qui semblent inéluctables à un moment et qui nous laminent tout le restant de la vie.

Virgile se souvient du jour où il avait enfermé ces trois chatons dans un vieux sac d'ammonitrate vide, un poing serré en guise de lien, et qu'il avait écouté leurs miaulements étouffés en regardant la buée se déposer sur le plastique. Le cœur coincé, il avait attendu durant de longues minutes que les cris disparaissent en même temps que les bruits des pattes sur la paroi lisse. Attendu dans le silence de la cave. Puis il avait ouvert le sac et en avait retiré trois petits corps flasques aux paupières agrafées. Trois cadavres à peine plus lourds que des torchons humides. Qui semblaient dormir dans ses grosses mains. Lui, Virgile, avait fait en sorte que l'incursion de ces bestioles dans la vie fût une erreur en s'arrogeant le droit de la corriger, comme il avait vu faire son père. Ce genre de contrôle des populations.

Le souvenir évanoui, Virgile se décide à retirer l'oreiller. Les traits du visage de Judith sont détendus. On dirait même qu'elle sourit et que ses yeux grands ouverts, aux pupilles dilatées, cherchent ceux de Virgile. Un regard qui le suivra partout, où qu'il se cache. Il en est persuadé.

« Tu diras que je suis partie de ma belle mort dans la nuit, pendant que tu dormais. Ça peut arriver à n'importe qui, ces choses-là. » Son sourire, quelques heures en amont.

Virgile passe délicatement une main sous la tête de Judith, la soulève et glisse l'oreiller en dessous. Ses cheveux trempés de sueur sont pareils à des tiges de cuscute emmêlées. Toujours ce regard troublant, terriblement vivant. Plus qu'il ne peut en supporter. Il lui ferme les yeux. Sa main tremble, hésite, comme s'il avait mal évalué la distance qui le sépare des paupières de Judith. Le contact avec sa peau le libère d'un poids plutôt que d'emprisonner à jamais une force vive, et ce sentiment l'apaise, autant qu'il est possible. Et il éteint enfin ce regard savonneux encore empli de lumière. L'emmure pour qu'elle l'éclaire où qu'elle aille. Le désir en lui de ne pas gâcher cette ultime lueur.

Il n'a plus peur de la toucher. Se maudit de ne pas l'avoir fait plus souvent tant qu'elle vivait. Arrange ses cheveux, caresse son front du revers de la main, allonge les bras et les jambes, encore malléables, le long de son corps. Lisse sa chemise de nuit avec des gestes de miel. L'image qui lui vient à l'esprit : un brin d'herbe fragile recouvert de givre. Recouvert pour toujours. À jamais. L'écho lointain d'une vaine prière, qu'il ne saurait réciter sans être à contretemps.

« Jude ! »

La porte s'entrouvre. Le chat apparaît, minaude un moment sur le plancher et saute sur le lit, petit être étique, délassant ses vertèbres avant de se coucher aux pieds de sa maîtresse sans se préoccuper de Virgile. Dans son ventre animal fourvoyé se met à gronder un orage lointain.

Virgile tend une main et appuie sur l'interrupteur en forme de poire situé au-dessus de la tête de lit. Puis il descend du matelas, approche une chaise et s'assoit près de Judith.

Il la veille toute la nuit, et même après que le jour s'est levé. On dirait un tableau de maître dans lequel la parfaite immobilité exclut l'idée même de la mort, afin que seuls subsistent les liens, et l'histoire de ces liens. Une pietà réinventée sculptée dans des tisons éteints.

Durant ce temps figé, rien ne parvient à exploser en Virgile, pas même le chagrin. Cette vague espérance sans certitude, plus prégnante que jamais. Cette libération : cadeau, ou néant ? Il n'en sait rien.

Dans la chambre, le chat se retire, surpris de n'avoir plus de chaleur à partager. Virgile le suit de peu. Se retourne au moment de fermer la porte, regarde Judith allongée sur la couche qui les a vus réunis, l'espace immense et dérisoire d'une vie.

Voilà.
Tout est fini.

Dehors, le vent emporte les cris des pintades sur la lande. Sourde et déplorable litanie, comme si la mission de ces petits pénitents vêtus de mantes bigarrées se réduisait à porter la nouvelle aux quatre coins du Plateau avec d'inutiles simagrées. Pour que rien ni personne ne parvienne à y échapper.

Georges, sur la pointe des pieds, comme s'il cherchait à économiser ses forces. S'arrête, n'osant approcher du gisant, puisque plus rien de vivant ne surnage et qu'il vient tout juste de s'en convaincre en voyant Judith allongée sur le lit, forme spectrale, si maigre qu'elle ne parvient pas à s'enfoncer d'une once dans le tendre matelas.

Il n'a pas souhaité que Cory l'accompagne. Elle le lui a proposé avec sincérité. N'a pas insisté. Il lui en sait gré. *Plus tard.*

Son oncle est assis sur une chaise, près du lit. Il lève les yeux et il semble n'y avoir plus rien dans ce regard désemparé que la certitude de la perte. Quelque chose comme le flot disparate de sa mémoire qui inonde ses pupilles. On dirait que ses doigts égrènent un chapelet imaginaire, pendant qu'il gifle l'espace de son silence.

Georges voudrait demander comment c'est arrivé, mais l'énergie lui manque. Ce n'est finalement pas si important, pense-t-il. Lui reviennent en mémoire des souvenirs de sa tante, alors qu'elle était plus jeune, moins vieille, quand elle tentait vainement de calculer ses gestes, et qu'il l'observait froidement sans jamais l'aider à devenir une mère de fortune. Pour ce qu'il connaît de sa vie. Des souvenirs qui le désolent plus qu'ils ne l'attristent. Trois pas supplémentaires. Ses cuisses butent sur le bois de lit. Il n'ose pas prendre appui dessus pour améliorer son équilibre défaillant, obnubilé par ce corps, pareil à un fil électrique dénudé. Enfant de chœur aux mains jointes, plaquées sur la braguette de son pantalon, face à ce rempart de chair voué aux attaques de mille putréfactions. Il se demande grâce à quels désirs elle a bien pu parvenir à l'âge de vieillesse, grâce à quel instinct elle n'en a pas terminé avant. Ce visage de peau retroussée et ces cheveux couleur d'os ancien, qui n'avaient pas fini de blanchir. Il faudrait avoir de la peine, le montrer, ce serait normal, mais il ne ressent rien de tel, tout juste un peu de compassion pour son oncle. À le regarder gamberger. Sa présence inutile. L'impuissance d'un vieil homme aux abois.

La cause d'un tel gâchis.

Ce jour, où Georges surprit sa tante au milieu de la basse-cour, un seau à la main, immobile comme l'aiguille cassée d'une boussole. Rien de vivant derrière les vitres de ses yeux. Au début, incapable de comprendre ce qui lui arrivait, elle n'eut pas l'air de repérer Georges et ses petites lèvres tremblaient d'effroi. Impuissante. Et justement, ce n'était pas son genre de tourner à vide, à se démener sans cesse comme une fourmi. Georges la découvrait vulnérable pour la première fois, son corps désemparé de ne pas être sollicité. Il avait fini par lui parler :

— Qu'est-ce que tu fais ?

Elle regarda son neveu, comme s'il était le dernier des demeurés.

— Pardi, ça se voit pas, que je donne du grain à mes poules ?

Il n'y avait pas un seul volatile autour d'elle et Georges se pencha au-dessus du seau vide.

— Il est où, Virgile ?

Judith se mit à ricaner en plongeant une main dans le fond du seau et en cramponnant ce qui n'y était pas. Puis la mécanique se remit en route, convoquant à nouveau ses muscles, pareille à un sujet émergeant d'une hypnose.

— Qu'est-ce que j'en sais, où il est... Je suis pas derrière lui !

— J'aurais besoin d'un coup de main pour faire passer des vaches.

— Il doit pas être bien loin.

— D'accord, je vais le trouver.

— C'est ça, moi, j'ai du travail qui se fera pas tout seul.

Un court instant, Georges la trouva humaine, débarrassée de sa froide contenance habituelle. Il se souvenait avec tristesse de ce moment comme de la dernière chance qu'ils eurent de s'approcher autrement.

— Tu veux que je fasse du café ? demande Georges.

Virgile relève la manche gauche de son gilet et regarde sa montre. Les deux informations semblent entrer en collision un court instant.

— Oui, fais-en, Karl va peut-être passer.

— Il est au courant ?

— Non, ce serait bien que tu ailles lui dire.

— Tu veux pas que je reste un peu avec toi ?

— Ça ira.

— Si tu as besoin…

— Tu pourrais nourrir mes bêtes, ce matin ?

— Je le ferai.

— Merci, il faut que je m'occupe encore un peu d'elle.

Les sons d'une conversation étouffée parviennent à Virgile. À peine quelques mots. Puis la porte s'ouvre. Une odeur de café pénètre dans la chambre. Le frottement d'une jambe de pantalon contre une autre, des pas qu'on retient, le diapason du recueillement, ce genre de sincérité pas feinte. Le silence de retour. Des secondes rythmées par le tressautement du filament de l'ampoule de la lampe.

— Elle est belle.

Virgile lève les yeux sur Karl, de l'autre côté du lit, comme s'il venait de dire une énormité. Il prend le temps de rapatrier un peu de salive dans sa bouche avant de parler.

— Ça veut pas dire grand-chose, maintenant qu'elle est où elle est.

— Sereine, je veux dire.

— Je suppose qu'elle l'est.

— C'était quelqu'un de bien.

— Elle t'a jamais aimé, tu sais.

— Ça m'empêche pas de penser ce que je dis…

— Elle arrêtait pas de me dire de me méfier de toi.

— Je suppose qu'elle avait ses raisons.

— J'ai jamais voulu savoir.

Karl frotte ses paumes l'une contre l'autre.

— Personne est censé aimer tout le monde, j'imagine.

— Tu voudrais pas dire une prière pour elle ?

— Là, maintenant ? dit Karl.

Virgile pose ses mains sur ses genoux, comme pour se retenir de basculer en avant.

— S'il te plaît. Y aurait pas de meilleure façon de vous réconcilier, elle et toi.

Karl esquisse un sourire en direction de Judith.

— Tu penses à une en particulier ?

— Je te fais confiance, tu t'y connais mieux que moi en bondieuseries.

Karl puise un instant dans sa mémoire et se met à réciter.

« Mets-moi comme un sceau sur ton cœur, comme un sceau sur ton bras. Car l'amour est fort comme la mort… »

— Tu voudrais pas plutôt la dire juste pour elle, cette prière ?

— Je croyais que…

— Ça signifie pas grand-chose pour moi.

— Comme tu voudras.

— Merci.

Une muette prière se dessine sur les lèvres de Karl. Une prière qui s'adresse tout autant aux morts qu'aux vivants. Quand il en a terminé, il se signe et l'ongle de son pouce crisse en effleurant sa barbe naissante.

— Ça avait l'air sacrément beau, dit Virgile, passé un long silence.

— Je crois que ça lui aurait plu.

Virgile lève les yeux en direction du crucifix au-dessus du lit.

— Vous aviez ça en commun, dit-il.

— Je savais pas.

— C'est bien, ce que t'as fait.

— Je l'ai pas fait que pour elle.

Virgile ne relève pas.

— Ça me rassure de penser qu'elle était prête. Elle en parlait souvent, de la mort, elle disait que ça lui faisait pas peur. Et moi, je lui disais de se taire, quand ça la prenait…

— Comment tu te sens ?

— … Comme si je croyais que ça la rapprochait de la mort, d'en parler.

— Virgile ?

— J'espère qu'elle est pas déçue, là où elle est maintenant.

— T'as pas répondu à ma question ?

Virgile décolle son dos du dossier et pose ses mains sur le bord du matelas.

— Moi, c'est pas important. Elle est pas encore vraiment partie, tu vois.

— Tu devrais venir boire un café avec nous, je crois que ça te ferait du bien.

— Ce dont j'ai besoin, c'est d'être encore un peu seul avec elle.

— Comme tu veux.

Karl fait à nouveau le signe de croix, et sort de la chambre.

Seul.

Les souvenirs. Rien ne les retient dans le cerveau incontinent de Virgile. Ils se mélangent au présent, sans la moindre pudeur, à cette réalité qui se déploie et aussi au futur, à toutes les démarches nécessaires à parapher la fin d'une existence, à la messe qu'il devra subir, puisqu'elle en voulait une. L'assistance qu'il maudira pendant que le cercueil s'enfoncera dans la terre, guidé par un couple de sangles. Il se prépare à cette somme d'épreuves dans le plus parfait désordre. À ça et à tout le reste. Ce qu'il connaît du deuil, ce qu'il devine et tout ce dont il ne sait rien.

La mémoire de Virgile n'en finit pas de piétiner sous la pâle lueur qui lance des photons poudreux, pareils à du pollen expulsé d'une anthère, faisant danser des formes prises au piège dans un mirage. Il retourne au temps de la chair lisse et des gestes maladroits. Des souvenirs se dressent et paradent un court instant sur le carrousel opulent du temps. Puis s'effacent. Cèdent la place à d'autres souvenirs. Désastreux, ceux-là.

On aurait dû lui dire, à Georges, tant que t'étais encore de ce monde. Je t'ai jamais rien caché de ce qui s'était vraiment passé, la véritable cause de leur mort. J'ai pensé qu'on serait plus fort à deux et j'ai fait en sorte qu'il puisse pas l'apprendre de quelqu'un d'autre. Je l'ai payé chaque jour et je continuerai de le payer jusqu'à la fin. Pour toi, c'est fini. Tu me laisses me débrouiller avec. Y a plus que moi qui sais la vérité, maintenant. Tu vois, je me suis toujours demandé si c'est pour cette raison qu'on n'a pas pu avoir d'enfant, toi et moi, qu'on avait scellé notre destin, en quelque sorte, le jour où c'est arrivé. On en voulait tellement un, juste un... et c'est un autre qui est venu. Un qui était pas à nous, malgré tout ce qu'on a cru. On a enfoui ça chacun de notre côté en pensant que c'était la meilleure chose à faire, la seule envisageable. Foutus mensonges, on croit qu'ils servent à faire aller le monde un peu mieux et on finit par le payer au centuple. À la fin, j'ai même pensé que ta maladie l'avait rayé de ta tête, ce secret. Ce que j'ai été con. Je suppose que c'est de bonne guerre. Tu m'as sacrément bien eu. Je comprends, maintenant, que t'avais rien oublié, sinon, t'aurais sûrement pas voulu mourir comme ça ?

Pourquoi j'ai pas parlé avant, tant qu'il était encore temps, nom de Dieu ?

Je sais plus quoi faire de moi, Judith. Pourquoi tu réponds pas ? Je t'en veux, tu sais, de m'avoir embobiné. T'as toujours su y faire. Enfin, j'espère au moins que, là où tu te trouves, il fait meilleur temps qu'ici.

Regarde-nous, t'as fini folle et moi je suis en train de devenir aveugle. J'imagine qu'il y a quelqu'un, quelque part, qui s'occupe bien de nous.

Depuis son retour, Georges a les yeux rivés à une fenêtre de la caravane, celle qui donne sur la plate-bande récemment désherbée. Cory est assise à la table, son livre ouvert en main. Elle relève de temps à autre la tête, puis l'abaisse aussitôt.

Au bout d'un moment, il se tourne vers elle et, comme pour refouler d'inconfortables pensées, il dit :

— Ça te plaît ?

— Oui.

— Tant mieux.

Cory referme le livre sans le quitter des yeux, son index droit en guise de marque-page.

— Comment tu te sens ?

— Ça va. C'est pour mon oncle que ça risque d'être dur, maintenant qu'il se retrouve seul.

— C'est peut-être mieux pour tous les deux, il n'aurait probablement pas pu la garder encore long-temps à la maison.

— C'est sûrement pas ce qui le console aujourd'hui, dit Georges avec amertume.

— Je n'avais pas à dire ça, excuse-moi.

Un petit canyon de chair se forme entre les yeux de Georges.

— Karl va plus le lâcher d'une semelle, maintenant.

— Et tu es là, toi aussi.

— Il peut compter sur moi.

— Si tu as besoin à un moment ou à un autre, je suis là…

— Ils ont toujours fait en sorte que je manque de rien et je leur en suis reconnaissant.

La voix de Georges se brise. Cory pose le livre sur la table, ses deux mains l'une sur l'autre masquent la couverture. Elle attend qu'il poursuive. Elle sent qu'il est au bord des larmes et elle se trouve désarmée face à la fragilité de cet homme.

— J'ai jamais été leur fils, un vrai fils, je veux dire.

— J'imagine que, pour eux, c'était tout comme.

Le regard de Georges se perd à l'intérieur de ses mains ouvertes, les sillons principaux, comme des fleuves asséchés bardés de multiples affluents tout aussi asséchés.

— Certainement, dit-il.

— Ça n'a pas dû être simple pour eux non plus, je suppose.

— Tu penses que c'est une fatalité de pas dire les choses importantes tant qu'on peut et de passer le reste de sa vie à regretter de pas les avoir dites, ou alors qu'on obéit à un genre d'instinct de préservation de l'espèce ?

Cory ne saurait dire si Georges est en train de parler de lui ou bien de ses parents adoptifs.

— Je n'en sais rien, dit-elle.

— Excuse-moi, je t'embête avec mes questions.

— Il n'y a pas de mal à dire ce qu'on ressent.

— J'arrive pas à expliquer ce qui se passe, ou plutôt ce qui se passe pas en moi. Je devrais être triste, accablé et je le suis pas. Comment tu expliques une chose pareille ?

— Je ne sais pas comment vous vous entendiez.

Georges serre ses poings et les porte à ses tempes, comme s'il avait l'intention de crever un gros furoncle.

— On parle de la femme qui m'a élevé, bon sang. Si tu savais comme je m'en veux !

— Tu t'en veux de quoi, au juste ? que ton chagrin ne soit pas à la hauteur, ou de ne pas avoir été celui qu'elle attendait ? dit Cory d'une voix douce, comme si elle entonnait une ballade à un enfant malade.

— Pire que ça, je m'en veux de jamais les avoir aimés et je leur en veux que ce soit pas arrivé.

— Ça a dû être compliqué pour vous tous.

— C'est pas le problème.

— Tu y verras certainement plus clair, avec un peu de temps.

— Le temps, il m'aide pas souvent, dit Georges d'un air désabusé.

— Fais-lui un peu confiance.

Georges s'approche de Cory et pose ses deux mains bien à plat sur la table, pouces en dessous du plateau, comme deux serre-joints.

— Tu penses que je suis insensible ?

— Pas du tout.

— Pourtant, je devrais pleurer et j'y arrive pas.

— Bien sûr que tu vas pleurer, quand tu seras moins en colère.

— C'est pas ce que tu crois.

— Ce que je crois ?

— Il y a d'autres choses que tu sais pas, que personne sait.

— ...

— J'ai jamais voulu être paysan.

Georges baisse les yeux, prend sa respiration et garde un moment l'air dans sa bouche, avant de se décider à parler de nouveau.

— Virgile et elle, ils m'ont fabriqué pour que je reste ici et que j'aie surtout pas envie d'aller voir ailleurs ce qui se passe, des fois que j'aie l'idée de pas revenir. Pour eux, c'était impensable que la moindre parcelle familiale soit vendue à des étrangers. Tout ce qu'ils ont connu, c'est ce satané Plateau qu'ils endurent, comme s'ils étaient persuadés de faire partie d'un peuple élu. Un peuple d'esclaves, oui ! Depuis toujours, leur projet, c'est de m'entraîner à leur suite.

La voix de Georges s'empale sur ces derniers mots. Cory voit bien qu'il n'en a pas terminé, qu'il a simplement besoin d'assembler ses pensées.

— À l'adolescence, j'ai bien essayé de leur tenir tête, mais j'avais pas les épaules assez solides, et personne pour me soutenir, quand ils faisaient revenir mes parents pour leur faire dire ce qui était le meilleur pour moi. J'étais trop tendre, je me suis laissé convaincre et j'ai fini par ravaler mes envies d'ailleurs, jusqu'à ce que l'absence de choix devienne une évidence. Alors, ils m'ont envoyé dans une école où on apprend l'agriculture. J'ai sagement appris ce qu'il fallait. Tout ça pour toucher quelques subventions et, quand je rentrais le week-end, ils me montraient comment cultiver la terre et élever le bétail à leur façon.

Georges relève les yeux vers Cory, comme s'il venait de trouver l'alliée qui lui avait toujours fait défaut. Quelqu'un en mesure de le comprendre, aujourd'hui.

— Qu'est-ce que tu aurais aimé faire ?

Il jette un regard en direction de la fenêtre.

— J'en sais rien, peut-être instituteur, quelque chose comme ça. J'apprenais plutôt bien à l'école.

— À dix-huit ans, tu pouvais partir.

— C'était déjà trop tard. Ils étaient ma seule famille.

— Tu leur en veux toujours.

— C'est pas à eux que j'en veux le plus, c'est à moi, de pas avoir été plus fort… tant qu'il était temps.

— Ils pensaient sûrement que c'était le mieux pour toi.

Un rictus de colère déchire le visage de Georges et, comme s'il crachait les mots à son propre reflet sur le plateau vernissé de la table, il dit :

— Et le type qui te tabassait, il pensait aussi que c'était bon pour toi ?

Cory lâche le livre, comme si elle venait de se brûler, se lève et envoie valdinguer la chaise en arrière. La panique l'envahit. Une réaction qu'elle connaît, qui ressurgit, incontrôlable. Son dos racle la cloison. Elle voudrait sortir de la caravane, s'enfuir, mais Georges est le plus rapide et lui saisit les poignets.

— Pardonne-moi, c'est pas ce que je voulais dire.

Cory sent son corps se liquéfier, incapable de réagir physiquement au contact des mains de Georges. Elle parvient tout de même à se détourner de lui pour ne pas affronter son regard suppliant. Ses yeux, luisants comme du goudron fondu.

Pas le monstre. Pas lui.

— Lâche-moi !

Georges n'entend pas.

— Pardon, j'ai pas à te faire subir ça. Tu es pour rien dans ce que j'ai vécu. T'en as assez bavé de ton côté.

— Pour la dernière fois, lâche-moi !

— Pardon, pardon, excuse-moi, je voulais pas te faire peur, dit-il tout en desserrant son emprise et en lâchant les poignets de Cory.

— Tu ne me fais pas peur.

Les bras de Georges se mettent à pendre lamentablement, à flotter pareils à deux haubans sectionnés. Cory se frotte les poignets. Elle se souvient des promesses qu'elle s'est faites. Ne plus jamais subir. Elle a accumulé suffisamment de venin inoculé par l'homme-torture pour en être immunisée. Comprendre où se niche le mal. Verrouiller son corps face à ce petit être ridicule, accablé, vulnérable. Rien à voir avec l'homme-torture.

— Je te promets que ça se reproduira plus.

— C'est bon.

— Il faut que je te dise aussi, il y a pas que ça.

— Me dire quoi, encore ?

— Ce Plateau, je l'ai jamais aimé, j'ai toujours fait semblant pour pas les décevoir. Tout paraît beau en surface, on te parle de préservation de l'environnement à longueur de temps, à la télé, dans les journaux, ce genre de conneries, mais ici, c'est pas l'environnement qui a besoin d'être préservé. L'environnement, il a gagné depuis longtemps et c'est pas près de changer. Les hommes appartiennent à ce royaume et pas l'inverse. Ils ont pas la main, ici, ils sont comme des épouvantails éventrés qui font plus peur à personne. C'est ça la vérité.

La voix de Georges ressemble au grésillement produit par un insecte entrant en contact avec une résistance électrique. Incapable de voir la froideur qui a entièrement envahi le visage de la jeune femme. Le temps de reprendre son souffle :

— J'aime pas l'hiver qui se balade sous les vêtements et qui te crevasse les mains, j'aime pas le printemps qui te baratine en te promettant monts et merveilles, j'aime pas l'été qui déverse des nuées de bestioles et qui brûle les promesses, et j'aime pas non plus l'automne qui repeint le décor avec des belles couleurs pour le supprimer après. J'aime pas les saisons d'ici. Y a jamais rien qui change durablement, rien à espérer que de dérouler une corde que d'autres ont enroulée pour nous, rien qui vaille la peine de se battre. On gagne jamais, on attend que ça se passe.

Georges ralentit le débit de ses paroles, comme s'il avait à réfléchir, comme si les mots qu'il allait prononcer revêtaient une importance capitale.

— J'ai beau essayer de me raisonner, j'y arrive pas. Il faut que je t'avoue une dernière chose qui me pèse trop, sinon je vais finir par devenir fou. Après, tu feras bien ce que tu voudras.

— Tu devrais plutôt prendre le temps de remettre de l'ordre dans tes idées, la mort de Judith t'a plus chamboulé que tu ne le crois.

— C'est toi qui es en train de tout bousculer, Cory et je m'attendais pas à ça.

— Bousculer quoi ?

— Fais pas semblant de pas comprendre.

— On se connaît seulement depuis quelques jours.

— Ça se commande pas, ces choses-là.

Georges ne laisse pas le temps à Cory de répondre.

— Viens, il faut que je te montre quelque chose, après je t'embêterai plus, c'est promis.

Elle accepte à contrecœur de le suivre, pour en finir. Ils sortent de la caravane et effacent la trentaine de mètres qui les séparent de la maison. Georges pousse la porte et marque un temps d'arrêt. On dirait un enfant honteux observé par des grandes personnes. Puis il guide Cory à l'intérieur en silence. Elle a le sentiment de se déplacer entre les meubles dressés comme entre des pierres tombales sur lesquelles on n'aurait pas pris la peine de graver les noms des morts.

Après quelques pas dans la maison, le visage de Georges s'éclaire, son attitude change, comme si la présence de la jeune femme lui donnait tous les courages. Il se met à tourbillonner à la manière d'un chien qui tenterait vainement d'attraper sa queue. Il fait visiter chaque pièce, en précisant ce qu'il envisage de modifier dans chacune : les cloisons à abattre, les parquets à poncer, les lambris à arracher. Il pense qu'il est possible de vivre ici. Accepter de faire face. Quitter la caravane. Ne plus combattre les fantômes de ses parents à distance. Ce qu'elle l'a aidé à comprendre, lui avoue-t-il. Même si elle n'en a pas conscience. Ce qu'il a maintes fois refoulé. Ce qu'il ne veut plus refouler.

Ils montent à l'étage. Georges pénètre le premier dans la chambre de ses parents. Il voudrait parler, mais n'y parvient pas. Se retourne vers Cory restée sur le palier. De toute sa vie, il sait qu'il n'a jamais eu de plus grand trésor à offrir et personne à qui l'offrir avant elle.

— Cette maison, j'y suis entré hier pour la première fois.

Cory observe Georges depuis une autre galaxie, une dimension sans atmosphère, totalement privée d'émotion.

— C'est toi que ça regarde, Georges.

Il se raidit. L'exaltation qui le guidait jusqu'alors disparaît instantanément et, comme s'il essayait de rester en équilibre sur une branche fragile, il lance un regard désespéré à la jeune femme. Devant son absence de réaction, la bouche engluée d'une salive épaisse, il répète d'une voix sans relief :

— Tu as raison.

Georges. Silhouette de cire vidée de toute substance, plantée dans cette chambre où ne flottent plus rien que des odeurs de moisi et de tissus délabrés. Rêve dévasté qui se fond dans une ombre gigantesque envoûtant son corps. Son visage n'est plus qu'un désert où s'éteignent des traces.

Cory ne saurait dire combien de temps a duré la visite de la maison, soulagée que Georges en ait enfin terminé. Elle ne ressent pas de pitié pour cet homme qui vient de lui livrer son âme. Son cœur cadenassé n'a pas permis de laisser entrer une once de compassion.

La force de retour. Sa force. Consciente que les choses viennent de changer au terme de l'avalanche des révélations faites par Georges, qu'elle ne pourra plus jamais le regarder comme avant. Pitoyable Georges qui vient de déverser désespoir et espoir, comme une coulée de foutre.

Le chasseur a compris qu'il s'était passé quelque chose d'inhabituel lorsqu'il a vu le va-et-vient dans la cour de la ferme. Il en a eu la confirmation quand le curé est arrivé. Lorsqu'il est descendu de voiture, le chien a bien failli le mordre. *Bon chien.* Il n'a pas l'habitude des visiteurs et, depuis qu'on l'a attaché, il tire sur sa chaîne quand quelqu'un entre ou sort de la maison.

La vieille est morte, elle ne l'amusera plus avec ses excentricités. Morte sans prévenir.

Il se demande à quoi elle ressemble, désormais. À n'importe quelle autre bestiole. Une fois qu'il n'y a plus de vie à l'intérieur, tout finit par se ressembler. Des os en route vers la poussière.

Il aimerait tout de même savoir comment c'est arrivé.

Pas du jeu de partir sans son consentement. Il se dit qu'il faudra bien qu'ils se fassent à l'idée que lui seul est en mesure de décider. Lui qui tient la baguette en chef d'orchestre. Une baguette taillée sur mesure pour l'effacement. Car l'effacement est le seul acte concret qui préside à la destinée de ce monde. La certitude que gommer une vie en pressant la détente de son arme est une décision qu'il est en droit de prendre s'il le désire et quand il le désire, que la miséricorde n'est pas une conception naturelle à ses yeux. Que nul ne devrait oublier cette vérité.

Sa vérité.

Il est décidé à faire en sorte que personne ne la bafoue.

Aucune pitié ne l'habite.

Jamais.

Chasseur impitoyable, insoupçonnable.

L'acte sublime d'ôter la vie est la seule chose qu'il vénère en son royaume.

Le corbillard pénètre dans la cour et entreprend de reculer pour positionner l'arrière face à l'entrée. Deux hommes descendent du véhicule, vêtus de costumes sombres identiques. Ils jettent des regards mauvais au chien qui n'en peut plus de gueuler à s'étrangler. Sa face boursouflée et sa gueule crantée, qui souffre de se refermer sur du vide.

Les croque-morts évaluent un instant la solidité de la chaîne, puis l'un d'eux ouvre le hayon et en sort une couronne avec beaucoup de feuillage et presque pas de fleurs, pendant que l'autre frappe déjà à la porte. Virgile ouvre dans la foulée, comme s'il attendait derrière depuis toujours. Ils se serrent la main et entrent. Ne voyant plus personne, le chien cesse d'aboyer et son petit corps galeux se met à trembler tandis qu'il fixe la porte fermée de ses yeux apeurés.

Le cercueil est dans la chambre, posé sur deux tréteaux. L'odeur de l'eau de Cologne ne parvient plus à masquer celle de la mort. Les croque-morts saluent l'assemblée en s'inclinant cérémonieusement et demeurent près de la porte restée ouverte. Virgile s'approche du cercueil et se penche au-dessus de la dépouille. La bouche de Judith s'est affaissée et laisse voir l'extrémité d'une couronne en argent. Partout, la peau peine à masquer les os et quelques cheveux couleur de neige salie sautillent sur son front au souffle de Virgile.

Georges est là. Tout, dans son attitude, trahit une intense nervosité et il se tourne fréquemment vers Cory, qui a tenu à voir sa tante avant la fermeture du cercueil, avant de l'accompagner jusqu'au cimetière. À aucun moment elle n'a un regard pour lui. Karl se tient en retrait, tête baissée et poings serrés contre ses cuisses.

Après s'être recueilli une dernière fois devant le corps, Virgile recule de deux pas, relève la tête. Les croque-morts s'avancent vers le cercueil, plaquent le couvercle, le vissent et déposent la couronne par-dessus. Georges, Karl et les croque-morts se positionnent ensuite chacun près d'une poignée, puis soulèvent le cercueil. Nul n'a l'air de peiner.

Virgile reste un moment planté sur la plus haute marche de l'escalier, à regarder le cercueil glisser à l'intérieur du corbillard. Il cherche un temps à occuper ses mains, avant d'abandonner et de les laisser pendre au bout de ses bras tendus le long de son corps malingre, pareil à une paraphrase verticale du corps de sa femme étendu entre les planches de bois verni. On dirait un gardien posté sur un mirador, qui laisse un fugitif prendre la tangente, sans donner l'alerte.

Les porteurs se tiennent désormais à l'arrière du corbillard, chacun occupé à fixer le sol, attendant un signal. Le chien, ça le rend à nouveau dingo, mais personne ne semble plus faire attention à sa rage, ni s'inquiéter de ses crocs usés en bout de chaîne.

Le signal. Virgile descend lentement les marches, et chaque appui fait vibrer son corps. Le rituel peut reprendre, orchestré à la lettre par les croque-morts qui referment le hayon, le retenant pour ne pas le faire claquer, puis montent dans le véhicule. Les autres se dirigent vers la voiture de Georges et prennent place à bord. Le corbillard démarre au pas, la voiture collée à son sillage, comme une chenille processionnaire.

Après que la voiture a passé le portail, le chien grogne encore un moment, puis tourne sur lui-même en faisant racler la chaîne sur le sol, et se couche sur la terre battue en couinant comme un demeuré.

Le calme revenu. Rien n'a vraiment changé. Une simple et banale vie retranchée du compte des vivants. Rien de plus, rien de moins. Ici. Dans ce hameau promis à l'effacement. La lande en contrebas, et la forêt éternelle. Le misérable point d'équilibre qu'est devenue la ferme, pour quelques heures seulement.

Le vent serpente sous des ardoises cassées par la grêle, entre les bardeaux grillagés d'un antique séchoir à maïs, ricoche sur les accroches en porcelaine qui relient des fils électriques, flagelle la façade en pierres de la maison, fait battre un volet, et s'en va, comme du sang libéré d'un garrot. Un seul souffle et tant de voix.

Désormais rassurés, des animaux sauvages et d'autres domestiqués quittent leur abri et reprennent leur place, asservis qu'ils étaient auparavant à quelque besogne atavique, ou contraints par une inquiétude viscérale. De la forme de vie la plus simple à la plus complexe, chacune semblant habitée par la seule ambition de ne jamais froisser l'histoire.

L'idée de la mort n'existe pas pour eux, et jamais ils ne feront le lien entre elle et la peur qu'ils ont du monde, avant qu'elle ne les prenne.

Des bourrasques de vent raclent le plateau, faisant comme des coups de varlope sur un bois dur, sans parvenir à l'entamer, et la végétation dévote semble prier le dieu granit sous un ciel couleur de poudre à canon qui descend lentement au contact de la lande.

Trois jours que Karl ne quitte guère Virgile. Besoin de prendre l'air pour se laver de la mort. De la mort, et de la vision obsédante de la fille. Virgile lui a raconté pourquoi elle est venue se perdre ici, les souffrances qu'elle a subies. À plusieurs reprises, pendant l'enterrement, il n'a pu s'empêcher de l'observer à son insu, se détournant lorsqu'elle s'en apercevait et qu'elle semblait alors balancer un peu d'enfer dans son regard.

Avant de quitter *Les Cabanes*, sa carabine sur l'épaule, il passe demander à Virgile s'il veut l'accompagner pour se changer les idées. Virgile lui répond qu'il a des choses à faire, qu'il a pris du retard, avec *tout ça*. Karl n'insiste pas. Au fond, il connaissait déjà la réponse.

Il respire déjà mieux au contact des arbres. S'arrête fréquemment pour sonder les environs, attentif aux bruits, aux mouvements, constamment à l'affût d'une onde dissonante. Il n'a pas voulu emmener ses chiens avec lui, pour être le plus discret possible. Depuis l'histoire de la sarcelle, la silhouette entrevue s'invite souvent dans ses rêves, et il se surprend parfois à confondre un tronc, un buisson, ou un rocher, avec une forme menaçante.

Il a tout son temps et décide d'emprunter la tourbière pour se rendre à l'étang des Ores. Virgile lui a appris à ne pas risquer son poids sur le lit branlant de sphaignes, qui masque des sables mouvants d'une profondeur insondable, et à marcher précautionneusement sur les rares sentes solides.

« L'avantage, c'est que tu prendrais plus jamais une ride, vu que tu serais aussi bien protégé de la pourriture que dans un congélateur. On a retrouvé des mammouths bien conservés, je l'ai vu à la télé. En Sibérie, je crois bien que c'était. Y en a plus d'un qui l'a payé de sa vie, de pas savoir où poser les pieds », avait précisé Virgile la première fois qu'ils étaient allés à la chasse ensemble. Depuis lors, en traversant la tourbière, Karl s'imagine parcourir un vaste cimetière orné de ces mousses piégeuses piquetées de droséras, de linaigrettes, de carex et de gentianes bleues.

« Pendant la guerre, les résistants attiraient les boches par là, et quand tu cours après une proie, tu fais pas forcément attention où tu mets les pieds, et direction la cave, si tu vois ce que je veux dire. Sûr que, si les âmes savent parler, ça doit plus causer allemand que gaulois là-dessous, peut-être des cousins à toi ? », ajouta Virgile avec un sourire en coin, sans chercher à en savoir plus. Karl crut bon de se justifier, sans s'étendre : ses parents communistes, le temps des utopies. Pas vraiment de conviction.

Une pie-grièche jacasse dans un bouquet d'aubépine, fière entomologiste dénombrant ses maigres trophées piqués sur les épines acérées. Une trouée de ciel bleu déchire les nuages au-dessus de cet univers particulier, dépourvu de granit et bordé au loin par des sentinelles pédonculées, ou sessiles, qui tiennent les nuages à distance. Karl se dit que ce serait un bel endroit pour s'endormir définitivement, guidé par l'instinct, à la manière d'un grand pachyderme résigné. Avec l'espoir que Dieu lui ouvrirait les bras pour s'être repenti des errements qui le torturent.

L'étang est désormais tout proche, comme l'atteste la présence de l'imposante bâtisse en ruine. Karl la dépasse, puis longe la berge jusqu'à un embarcadère en lames de douglas cariées. Une barque à demi immergée est toujours arrimée à un pilier et l'on peut encore lire le nom peint sur la coque : *Lémovice*.

Il fut un temps, où l'étang faisait partie du vaste domaine entourant la maison abandonnée. Karl voulut un jour en savoir plus au sujet de ces gens qui y habitaient. Virgile lui raconta une histoire d'étrangers ayant tout abandonné du jour au lendemain, sans raison apparente, avec cette sale habitude qu'il a de concasser les mots pour en finir au plus vite avec un sujet qui l'embête. Il devint nettement plus loquace à l'évocation de la commune qui se porta acquéreur de l'étang, un siècle plus tôt. On venait alors pêcher la carpe et le poisson-chat, et même se baigner, jusqu'à ce qu'il soit à nouveau vendu. On devine encore la plage envasée regorgeant de tessons de bouteilles jetés par le dernier propriétaire des lieux, un dentiste, ou un toubib, un métier de ce genre. Au début, tout nouveau, tout beau, le bourgeois se radinait avec sa famille, sapés comme des rastaquouères. Et on pique-niquait, uniquement le dimanche, quand le temps s'y prêtait. Virgile les croisa quelquefois. À peine s'ils disaient bonjour, trop occupés à batailler avec les insectes. Le cirque dura une année, peut-être un peu plus, puis ce petit monde se lassa des virées champêtres. Nul ne les reconnaîtrait aujourd'hui. Personne ne sait d'ailleurs, au hameau, ce qu'ils sont devenus.

Un grand héron cendré s'envole depuis le rivage. Karl lève instinctivement sa carabine et accompagne le vol lourd de l'oiseau dans sa mire. Le héron lance des cris perçants à chaque battement d'ailes, puis se pose de l'autre côté dans une gerbe d'eau, à l'avant-scène d'un paravent de charmilles aux feuilles jaunissantes.

Karl abaisse son arme. Il contourne l'étang, jusqu'à l'endroit où la silhouette se tenait quelques jours auparavant, sonde les lieux. Il ne sait pas vraiment ce qu'il cherche. Peut-être des traces, pour se convaincre qu'il n'a pas rêvé. Rien. Les fourrés sont drus, et ce n'est pas un poste idéal pour se tenir à l'affût, se dit-il, en tout cas pas celui qu'il aurait choisi.

Il s'enfonce dans la forêt. Passe devant les vestiges d'une cabane en bois, dont ne subsistent que des ardoises éparpillées et des morceaux de planches de bardages partiellement recouvertes de chèvrefeuille. À quelques mètres de là, sous de grands chênes américains, des cèpes à tête noire émergent de la mousse. Les yeux de Karl, prêt à cueillir le premier, se portent sur un amas de pierres à quelques mètres de là. Il s'en approche et découvre un campement abandonné depuis peu. Des cendres croûtées, recouvertes de cailloux, un auvent fait de branches de sapin attachées entre elles par des tiges de fougère-aigle, et posées entre deux troncs sur des lattes de bois sec. Le sol est tassé à l'endroit où un homme s'est allongé suffisamment longtemps pour laisser l'empreinte de son corps. Karl fait le tour de l'arbre et son cœur s'accélère à la vue d'un petit piquet sur lequel est fiché le crâne calciné d'un canard. La sarcelle.

Il n'a pas rêvé la silhouette de l'autre jour. Un type qui campe dans les bois en cette saison n'a rien de commun, surtout ici. Peut-être est-il encore dans les parages ? Poussé par une inconfortable curiosité, Karl

se met à explorer la forêt, zigzaguant sur une envergure de plusieurs centaines de mètres. À proximité
des carrières abandonnées, il tombe sur un deuxième
bivouac et le crâne d'un ragondin fiché sur un morceau de bois, pareil à un pommeau sur une canne.

Incapable de se détourner du trophée, Karl revoit
la silhouette menaçante, visage dissimulé sous une
cagoule. Un homme parcourt les bois en abandonnant
les crânes de ses victimes. À l'évidence, il ne peut
s'agir de quelqu'un du coin. Que cherche-t-il ? Ce
type, qui préfère dormir à la belle étoile sur la terre
humide des derniers orages, plutôt que de se mettre à
l'abri pour la nuit, car, en arrivant ici, il n'a pu ignorer
l'entrée de la grotte.

Un bruit de fuite derrière lui. Homme ou animal,
Karl n'en sait rien et se retourne en prenant sa carabine en main. S'avance jusqu'à la lisière des arbres qui
bordent les carrières. Rien. Rien que le vent qui agite
les cimes, au rythme du son plaintif des branches,
pareilles à des coques au mouillage.

Une écume vénéneuse suinte de ces bois. Un être
à l'évidence malveillant, puisqu'il se cache, imagine
Karl. Un chasseur, tout comme lui, qui joue les impor-
tants, avec une arme affûtée qui lui sert de béquille.
Un qui oublie qu'il faut être né sur le Plateau, y avoir
grandi et s'apprêter à y mourir pour n'être durablement surpris de rien. La laideur, la beauté, l'utile et
l'inutile, comme la luzerne qu'on cultive et celle qu'on
combat pied à pied.

De retour sur la berge de l'étang, Karl se poste à l'endroit exact où se tenait l'homme, le jour où il a tué la sarcelle. Tenter de se fondre dans son esprit prédateur.

Une odeur d'humus voyage dans l'air. En face, de gros chênes se courbent au-dessus de forêts de nénuphars, leurs branches dépenaillées pareilles à des mains bourrées d'arthrose, et d'autres arbres arrachés par des tempêtes, tels les squelettes de grands mammifères marins. Plus loin encore se dresse le tronc d'un mélèze foudroyé, bois d'ivoire flottant dans l'air humide, qui se reflète sur les eaux sombres. Égal liquide du ciel, à peine troublé par le sillage rectiligne d'un carnassier. Çà et là, quelques bulles d'air remontent à la surface, trahissant la fouille d'un poisson de fond. Cette eau, gorgée de colloïdes invisibles, qui se traîne imperceptiblement vers le trop-plein à la manière d'un cortège en prière, silencieux, recueilli. Une flaque ridicule à l'échelle du Plateau.

Après plusieurs dizaines de minutes d'attente, deux ragondins sortent d'un trou creusé dans la berge opposée en se chamaillant. Karl relève lentement le canon de sa carabine et en aligne un, le mieux placé, pour ne pas lui laisser le temps de plonger. Appuie sur la détente et la détonation affole un martin-pêcheur, qui s'écarte de sa route en rasant l'eau, puis disparaît derrière un saule pleureur. Une odeur de poudre envahit l'espace. Il faut toujours un certain temps à Karl pour relier le coup de feu aux dégâts irréversibles provoqués par le projectile, cette balle qui vient de transpercer le poitrail du rongeur, terminant sa course dans une terre griffée de racines, comme si le recul de sa conscience s'accordait au recul de sa Winchester. Sensation fugace de parjure qui disparaît d'écho en écho. Jusqu'au silence.

Il tire le verrou en arrière pour expulser la douille et la fourre dans une poche de sa veste, puis engage une nouvelle cartouche dans la chambre de son arme et la remet à l'épaule. Il contourne ensuite l'étang et découvre le cadavre du myocastor gisant sur un lit de brindilles. L'animal semble rire de ses deux grosses incisives jaunâtres qui dépassent de sa gueule. L'impact de la balle fait comme une petite tache de naissance sur la fourrure opulente du ventre parsemée de fragments de mousse. Karl le retourne sur le dos de la pointe de sa botte droite. En traversant, la balle a laissé un cratère de plusieurs centimètres de diamètre de l'autre côté, endommageant irrémédiablement au passage toute une série d'organes vitaux. Le ragondin n'avait aucune chance de s'en tirer avec une telle arme et un tel chasseur.

Karl saisit maintenant l'animal d'une seule main et, de l'autre, exerce une pression de haut en bas sur le ventre qui expulse une urine épaisse à petits jets fumants qui puent l'ammoniaque. Il retire ensuite sa veste, l'étale au sol et fait glisser le corps inerte dans le carnier, puis enfile son vêtement et se met en route. La masse du rongeur étire le pan arrière, comme le goitre démesuré d'une grenouille quand elle chante au printemps.

Karl coupe au plus court par une lisière piquetée d'ajoncs et veloutée de callunes, ses pas scandés par le cliquètement produit par plusieurs douilles qui s'entrechoquent dans sa poche. L'odeur de la poudre imprègne toujours ses mains et ses vêtements, annulant toutes les senteurs alentour.

Il passe bientôt à proximité de la dizaine de ruches appartenant à Virgile. Ce dernier ne s'en occupe plus guère à sa connaissance. La carcasse du TUB Citroën posée sur des parpaings est toujours là, à peine rouillée. Des tiges de lierre recouvrent entièrement l'arrière et se perdent au travers du hublot cassé. Le vieil homme s'en sert pour stocker son matériel d'apiculteur à l'intérieur d'un vieux congélateur réformé.

Karl observe un moment les rares insectes, demeurant à bonne distance pour ne pas déranger leur ballet. Devant tant d'obstination et de liberté contrainte par un intérêt supérieur, il se sent pris dans un collet, et le trouble qui l'envahit dévaste sa raison claquemurée dans le réduit de sa boîte crânienne.

Le vent d'est bazarde des langues de nuages par-dessus le toit de la grange. Le gel ne prendra pas cette nuit. Partout, le soir s'étale sur le Plateau, pareil à une coulée de boue qui s'avance. On croirait voir la lèvre supérieure de quelque monstruosité animée par les derniers rayons du soleil. L'illusion d'un mouvement, une sorte de rumination. Brasser, avaler, régurgiter créatures et végétaux pour n'en faire qu'une pâte informe privée de singularité. Une chose sans devenir.

Ce jour meurt et Virgile ne le voit pas mourir.

Il traverse la cour et libère son chien. L'animal s'en va, nez contre terre, égayer un troupeau de poules, puis revient poser ses pattes sur les jambes de pantalon de son maître, manquant de le renverser. Il lui lèche les mains de sa langue râpeuse, et s'embringue dans une folle course, changeant fréquemment de direction sans raison apparente, comme un qui tenterait vainement de se débarrasser d'un hameçon. « Couillon de chien, c'est bien toi le plus heureux, à pas penser à ce qui pourrait t'arriver demain », dit Virgile en se frottant les yeux.

Depuis qu'il est revenu du cimetière où il s'est attardé pendant que Georges, Karl et Cory l'attendaient dans la voiture, Virgile se sent oppressé. Perdu dans sa propre ferme. Ce n'est pas la solitude qui lui pèse à présent, mais plutôt le désœuvrement. Il a le sentiment de n'avoir pas tout pesé avant de commettre son geste, que Judith lui a forcé la main et qu'il n'a pas été capable de résister à sa volonté. Tant qu'elle était vivante, même malade, il avait un rôle à jouer en ce monde, un rôle qui s'exerçait bien au-delà de son travail de paysan, un rôle qu'il n'avait pas mesuré avant qu'elle disparaisse. Une évidence qu'elle avait tue au moment de lui demander de l'aider à mourir. Lui faire admettre, malgré lui, qu'il la libérait d'une atroce douleur. Parce qu'elle savait pertinemment quel genre d'homme il était et pouvait être, par quel bout le prendre pour le tordre à façon. De quoi il était capable.

Et ce lourd secret, qu'il lui faut maintenant porter seul. Un secret qui lui ravine plus que jamais les entrailles. Déplorable gardien d'un temple déliquescent. Un temple dans lequel il voudrait finir. *Alors, pourquoi continuer ?* Ce genre de réponse maquillée en question, histoire de tenir encore un peu.

Il est certes une vérité humaine qui promet son lot de chagrins à chaque génération, s'ajoutant aux malheurs accumulés par les générations anciennes. Il y a l'ordre des choses et il y a les rafales imprévisibles qui balaient nos vies. Les trois longues rides qui barrent le front de Virgile font partie de l'ordre des choses, pas ce silence qu'il ne peut partager avec personne.

Une odeur douceâtre s'envole au moment où Virgile ouvre la porte de la chambre. Il entreprend de retirer les draps du lit, les frottements pareils à l'envol de petits passereaux. Les plie soigneusement et les range dans une armoire sans envisager de les laver. S'en va chercher la bouteille d'eau de Cologne dans la salle de bains, puis retourne dans la chambre. Retire le bouchon, pose un pouce sur le goulot, retourne le flacon et tamponne le matelas un peu partout. Remet ensuite des draps et une taie de traversin propres.

Devant le lit fait, la seule véritable tombe à ses yeux, d'une voix tremblante il prend à témoin celle à qui il a obéi sans discuter, celle à qui il en veut de ce repos dont il demeurera exclu jusqu'à sa propre mort. Judith, en racines cramponnées à sa mémoire. Tant de souvenirs survivant sur chaque dalle, chaque poutre, chaque meuble et chaque objet de cette maison, quoi qu'il marchande au temps qui s'effiloche.

Il repousse tant qu'il peut le moment de s'asseoir, jusqu'à ce que, n'en pouvant plus, ses articulations calcinées le forcent à se plier, puis s'affaisser sur le lit parfumé. Il pose ses mains bien à plat, au milieu de l'absence. Seule une ampoule hottentote, fixée sous un abat-jour en tôle bleue, teinte l'intérieur de la pièce d'une lueur sautillante, presque guillerette. Envie de pleurer, mais ces derniers temps, ses yeux coulent trop souvent pour qu'il sache faire la différence entre les fluides qui s'en échappent.

Durant la soirée, Virgile se lève de temps à autre pour aller se servir une tasse de café noir, puis retourne s'asseoir sur le lit. Sa tentative de refouler la nuit, atteindre l'aube, ne pas se laisser dévorer sans résistance, ni violence.

Il est trois heures du matin quand sa tête bascule lentement en avant et vient cogner son bras. Le contact le réveille et il rajuste sa casquette, se lève et déambule dans la pièce pour reprendre ses esprits. Puis, comme s'il venait d'avoir une révélation, il s'agenouille au pied du lit et glisse une main en dessous. Il en ressort un lourd carton qu'il porte dans la cuisine et le pose sur la table dans un bruit de ferraille. Odeur entêtante de graisse. Il déplie le drap posé par-dessus et l'étale à la manière d'un curé faisant son office, se penche sur le carton et dépose sentencieusement plusieurs objets métalliques sur le linge. Une mitraillette *Sten* démontée, datant de la dernière guerre, ainsi que plusieurs chargeurs garnis de balles de neuf millimètres.

Et puisqu'il faut bien que ce dont on est témoin un jour s'amuse à nous pourfendre jusqu'à la fin, autant ne plus résister.

Laisser aller.

Les Cabanes : 1943

Virgile a huit ans et son frère, Henri, six. Un soir tard, ils jouent encore dans la barge à foin, lorsqu'ils entendent un camion pénétrer dans la cour. Comme souvent, Clovis, leur voisin de six ans, est avec eux. Le père de Virgile ouvre les portes de la grange, vérifie que personne ne traîne dans les parages, puis referme les battants, une fois que le Berliet est à l'intérieur. Un homme descend du siège conducteur. Les gamins le reconnaissent aussitôt.

Mis à part les vieillards et les enfants, il ne reste plus beaucoup d'hommes dans la force de l'âge au village, hormis le père de Virgile, démobilisé en 1941 à la suite d'une sévère affection des bronches, et Martial, réformé d'office. Enfants, Martial et son frère étaient de véritables têtes brûlées. Un jour qu'ils jouaient avec le pistolet d'ordonnance de leur père datant de la guerre de 14-18, un coup de feu partit accidentellement et une balle se ficha dans un coin du crâne de

Martial, tout près de son oreille gauche. Il tomba dans un profond coma. Inopérable, dirent en chœur les toubibs sans laisser le moindre espoir à la famille. Mais, contre toute attente, Martial se réveilla une dizaine de jours après le drame, sans séquelle apparente, sinon une plaie de la taille d'une pièce de cinq francs, déjouant les pronostics pessimistes des médecins. On en resta là en criant miracle, étant donné que la science n'avait aucune explication à faire valoir.

Martial grandit normalement. Les os se soudèrent tout autour de la balle sagement endormie dans sa cavité, comme un serpent prêt à passer l'hiver, et aucun des médecins ne s'avisa alors d'émettre la moindre hypothèse de réveil, ni de durée du fameux hiver. On laissa donc le blessé tranquille, ses cheveux repoussèrent et on finit par oublier ce qui s'était passé.

Le comportement de Martial commença véritablement à changer à partir de l'adolescence, il lui arrivait de se mettre dans des colères folles pour un oui ou pour un non, se laissant aller aux plus bas instincts. Un commis de la ferme raconta qu'il l'avait surpris un jour en train de mordre à pleines dents le museau d'un veau récalcitrant. L'animal résista quelques secondes en s'arc-boutant, mais ses sabots se mirent à riper sur les dalles de l'étable et Martial l'entraîna dans une danse infernale avec du sang qui lui ruisselait tout autour de la bouche. Le commis n'en crut pas ses yeux et, lorsque Martial le vit, il relâcha le veau et dit en se marrant que c'était bien fait pour lui, qu'il n'avait qu'à obéir sans faire d'histoire.

Un type capable d'une violence inouïe, sans scrupules et sacrément costaud, voilà ce qui résumait bien l'homme qu'il était devenu. Certes, on pouvait lui trouver des excuses, avec ce bout de ferraille incrusté dans sa tête, mais au village, chacun s'accordait à penser que ses excès, et sa nature incontrôlable, ne pouvaient être dus à une simple balle de pistolet.

Une fois à l'abri, les deux hommes soulèvent la bâche qui recouvre le plateau du camion et se mettent à décharger deux grosses caisses en fer, ainsi que deux grandes pièces de toiles épaisses entourées de cordes. De toute évidence, les fruits d'un parachutage. Depuis la barge, les trois gamins voient distinctement ce qui se passe et entendent presque tout ce qui se dit. Martial commence à faire sauter avec un marteau et un burin un premier cadenas qui ferme une des caisses, quand le père de Virgile pose une main sur le bras de son acolyte, disant qu'il ne veut pas de sa part, que l'autre n'a qu'à tout garder pour lui et repartir, qu'il ne fera pas d'histoire, qu'il a déjà oublié ce qu'il a vu. Martial se redresse et le repousse violemment contre une aile du camion. Ses yeux luisent de rage et il se retient d'élever la voix. Il affirme que ce sera comme ça et pas autrement, chacun sa part. Il n'y a plus à discuter et il est trop tard pour avoir des remords. Maintenant qu'ils sont tous les deux installés dans la même barque, personne ne sera incité à vendre la mèche. Un genre de garantie contre l'envie de cafter un jour.

Le père de Virgile tente de se dégager. Martial avance et lui barre le passage de toute son imposante stature. Il sort un couteau de chasse d'un étui fixé à sa ceinture. En même temps qu'il balade une lame épaisse devant ses yeux, une grimace entame ses joues, et il répète en hachant les mots, comme s'il parlait à un simple d'esprit, qu'ils ne peuvent plus reculer et qu'il saura l'empêcher de flancher si jamais l'idée lui vient, que ce ne sont pas des paroles en l'air. Terrorisé et pas de taille à lutter contre un tel adversaire, le père de Virgile n'insiste plus. Il n'ignore rien de la réputation de Martial, conscient que nul homme sain d'esprit ne se risquerait à le pousser dans ses retranchements.

La suite se déroule dans le silence. Les deux hommes retirent une vingtaine de sacs des caisses et les posent sur le sol. On dirait qu'ils exhument de précieuses reliques, et, malgré sa grande gueule, Martial ne paraît plus vraiment rassuré, comme s'il prenait soin de ne pas réveiller une malédiction. Il ouvre lui-même chaque sac, en sort des liasses de billets de banque, puis les répartit équitablement dans deux sacs à grains, sous les yeux incrédules des trois gamins toujours cachés dans la barge.

Le partage terminé, Martial fouille à l'intérieur d'une caisse et en exhume une mitraillette et quelques chargeurs.

— Je m'occupe de faire disparaître tout le reste, t'as qu'à garder celle-là en souvenir, dit-il en arborant un sourire cynique.

242

— J'en veux pas.

— Ça t'aidera à pas oublier notre pacte.

— J'en veux pas, je te dis…

— Est-ce que je t'ai dit que t'avais le choix, à un moment ?

Le père de Virgile prend l'arme sans plus discuter. Martial acquiesce d'un air satisfait, puis monte dans la cabine du camion. Le père de Virgile ouvre les portes de la grange, laisse sortir le véhicule et referme derrière lui. Il reste immobile un long moment, la mitraillette dans une main et les chargeurs dans l'autre, à regarder le sac garni de fric à ses pieds, ne sachant que faire.

Quand il finit par reprendre ses esprits, il glisse l'arme dans le sac, s'en va le recouvrir de foin dans le fond de la grange, pendant que les deux frères et Clovis se hâtent de sortir par la lucarne de la barge pour ne pas être vus.

Le lendemain, comme chaque jour, les trois gamins se rendent à l'école à pied. En chemin, d'un air enjoué, Clovis se met à parler de ce qu'ils ont vu la veille. Ses yeux brillent à l'évocation de l'argent. Henri l'empoigne par le col et lui assène une violente claque.

— T'as rien dit à personne ?

— Non, dit Clovis en se préparant à recevoir un autre coup.

— T'as rien vu, il s'est même rien passé, d'accord ? Je jure que si tu viens à parler un jour, il t'arrivera malheur.

Virgile ne réagit pas devant la détermination de son jeune frère, et Clovis, trop frêle pour résister, s'effondre dans le fossé au milieu des sanglots, son regard accroché à Virgile : « J'aurais rien dit… j'aurais rien dit… »

Le soir, en rentrant de l'école, les deux frères inspectent la cachette de leur père, mais elle est vide. Ils se regardent, incrédules, comme s'ils étaient en train de sceller un pacte, certains pourtant que rien n'est définitivement réglé.

Après la Libération, le secret demeure bien gardé et personne n'y fait allusion. À la connaissance des deux frères, leur père n'utilisera jamais l'argent, et pourtant, la famille tire souvent le diable par la queue. Henri tente maintes fois de découvrir où l'argent est caché, fouillant la ferme de fond en comble, sans succès. Virgile essaye bien de le dissuader dans ses investigations. Il pense, au fond, que c'est une bonne chose que l'argent ait disparu, mais Henri enrage de ne pouvoir profiter d'une telle fortune. Une rage qui, au lieu de s'atténuer avec le temps, ne fera qu'empirer et marquera une rupture définitive entre les frères.

Deux ans plus tard, alors que la mère de Virgile est en train de nettoyer les cours à lapins, elle s'entaille la main avec un morceau de grillage rouillé et souillé. Elle nettoie la coupure avec de la salive, emmaillote sommairement sa main blessée dans son mouchoir, et poursuit sa tâche. Ce n'est qu'une fois rentrée qu'elle désinfecte la plaie avec de l'alcool. Peu après, elle se met à ressentir des contractions musculaires dans le bras et pense s'être froissé un muscle. Elle en a vu d'autres. Ça passera, pense-t-elle. Pas du genre à se plaindre. Elle n'en parle d'ailleurs à personne. Au cours des jours suivants, les contractions reviennent à intervalles réguliers, avec toujours plus de violence et de douleur, accompagnées désormais d'un état fiévreux permanent. Puis, un matin, elle ne parvient pas à se lever. Le père de Virgile se résout à appeler le médecin. Il est trop tard. Elle meurt du tétanos à l'hôpital de Tulle dans d'ignobles souffrances.

Par la suite, déjà fragilisé par l'affection de ses bronches, le père de Virgile finit par sombrer dans une torpeur quasi permanente. Il sent sa vie s'enfuir et ne semble avoir aucune envie de la retenir. Avant qu'il soit trop tard, il décide de réunir ses fils pour régler la succession de la propriété familiale.

Les deux frères ont des caractères très différents, Virgile est plutôt mesuré, quant à Henri, il est devenu terriblement impulsif et agressif. Autant dire qu'ils ne s'entendent guère. Le partage se fait équitablement en ce qui concerne les terres. Il est déjà compliqué de vivre correctement avec la totalité des parcelles et du cheptel, avec une moitié chacun, la tâche s'annonce ardue.

Dans les années qui suivent, Virgile se marie avec Judith. Le couple s'installe dans la maison familiale. Henri s'est mis à la colle avec une fille de forain rencontrée lors d'une fête de village, plutôt délurée et insaisissable, belle comme un soleil, visiblement aussi brûlante. Ils s'unissent à leur tour et entreprennent de retaper la bergerie abandonnée au bout du chemin, pour prendre leur indépendance. Une union que le père de Virgile n'approuve pas, incapable de comprendre ce qui retient une fille de ce genre dans ce coin paumé du Plateau. Une fille du voyage. Mais cela fait longtemps qu'il n'a plus voix au chapitre.

Cory lui a demandé de ne pas l'attendre pour dîner. Puis a disparu dans la chambre sans un regard pour Georges.

Les yeux rivés à la porte fermée, il pense qu'elle est déjà en train de faire ses valises. Quel désastre, pense-t-il en se remémorant leur dernière conversation et la visite de la maison de ses parents. Quel lamentable idiot il fait. Ce n'est pourtant pas sa nature de craquer de la sorte. Il s'en veut tellement d'avoir laissé exploser sa colère et de s'être mis à nu sans retenue, conscient aussi, malgré tout, que, pour la première fois de sa vie, quelqu'un lui permet de mettre des mots sur une douleur profonde, comme une écharde retirée. Ses propres mots, un pus suintant d'une plaie enfin ouverte.

Il spécule sur toutes les formes du pardon existantes, incapable de se concentrer sur autre chose, étranger à sa vie. Accablé par une misère immobile. Avec la sensation de son cœur offert à cette femme qui n'a rien à faire de cette offrande. Georges est toujours vivant, mais peu désireux de le rester, si la perte devenait irrémédiable. Tenter d'imaginer ce qu'il y avait avant elle. Ce qui pouvait suffire. Ce qui ne suffit plus.

Il regarde désespérément les livres alignés et empilés, et nul sauveur providentiel n'apparaît. Alliés d'hier, ennemis d'aujourd'hui. Maintenant qu'il aurait besoin d'aide.

Foutus artistes, qui ne servent finalement qu'à appuyer encore plus fort sur vos blessures, inutiles sadiques qui ne guérissent personne.

Après des heures baignées d'une absence foudroyante, Cory apparaît dans le contre-jour qui dépèce son vêtement de nuit. Elle ne dit rien, ignorant Georges toujours assis à la table. Il ne saurait dire s'il est heureux de la voir enfin, ou s'il ne préfèrerait pas qu'elle demeurât enfermée à jamais dans une pièce obscure. Elle entre dans les toilettes. Georges se met à bander en entendant l'urine s'écouler dans la cuvette. Il imagine Cory accroupie, sa toison ruisselante. Être l'ouate qui caresse sa fente, l'écarteler de ses doigts, laper son sexe au parfum d'océan, et s'enfouir lentement pour ne rien perdre de la brûlure. Tout ce qui l'enflamme en cet instant, ce genre de pulsion bestiale contre laquelle il lutte au corps-à-corps, pour résister à l'envie de se lever et d'enfoncer la porte.

Lorsque Cory sort des toilettes, Georges ferme les yeux. Ne surtout pas sombrer dans la folie brutale de son désir. Elle s'approche de l'évier, se lave les mains, prend un verre retourné sur l'égouttoir et le remplit d'eau. Elle boit à petites gorgées, tout en fixant la fenêtre d'un regard absent. Puis rince le verre et le repose. Se retourne, fesses collées au rebord de l'évier, bras croisés.

Georges. Pareil à un papillon de nuit sous le soleil. Qui sait qu'il faut en finir avec ce supplice, d'une façon ou d'une autre. Il parvient à parler, tout en regardant n'importe où, pourvu qu'elle n'y soit pas.

— Tu as quelque chose à me dire ?

— Oui.

— Tu veux t'en aller, c'est ça…

Elle ne répond rien, comme si elle voulait définitivement s'assurer d'une forme de pouvoir qu'elle posséderait, à regarder cet homme s'enfoncer maintenant dans les ténèbres.

— Je comprends.

— Je ne suis pas sûre, dit-elle d'une voix désincarnée.

— Il vaut mieux pas que tu traînes. Je peux t'emmener à la gare dès que tu auras rassemblé tes affaires. C'est peut-être déjà fait.

— Non.

— J'attendrai que tu sois prête.

— Et si je voulais « traîner » un peu plus ?

Georges relève les yeux.

— Qu'est-ce que tu dis ?

Le visage de Cory ne reflète aucune émotion.

— Rien de plus que ce que je viens de dire.

Georges fait glisser une main en avant sur la table et la ramène aussitôt contre sa poitrine.

— Tu… tu comptes rester ici, alors.

— À la seule condition qu'on ne parle plus de ce qui s'est passé.

— Comme tu voudras.

— Je voulais juste te le dire avant de retourner me reposer.

— Reste encore un peu, je vais faire du café.

— Non, ça va…

— Attends, dit Georges d'une voix presque inaudible.

— Quoi ?

— Tu changeras pas d'avis ?

Cory décroise ses bras, délaisse le regard implorant de Georges et entre dans la chambre en traînant la question sur une poussière de silences.

Une porte claqua. Puis une plainte répétée. L'air frais qui tentait de se frayer un passage jusqu'aux poumons du père de Virgile. Le même bruit que fait une égoïne en revenant inlassablement buter sur un clou. Des mois qu'il se traînait, lamentable. Des mois que la douleur déchirait sa poitrine au moindre effort. Des mois qu'il ne faisait plus qu'observer son monde, à la manière d'un oiseau malade posé sur un piquet dans le froid.

Une forme aux contours dénaturés s'inscrivit laborieusement dans l'ouverture de l'étable, entra et s'appuya contre le montant crasseux d'un box derrière lequel un jeune veau impatient frappait les planches à grands coups de sabots. Le père de Virgile se mit à regarder son fils occupé à nettoyer les trayons d'une vache avec un chiffon imbibé de teinture d'iode afin de la préserver des mammites. Attendant de reprendre sa respiration pour parler.

— Il faut en prendre soin de cette vieille dame, tu sais.

— C'est ce que je fais, tu vois.

— Même si elle nous a rendu plus de services qu'elle ne nous en rendra maintenant.

— Il me semble que j'ai toujours fait ce qu'il fallait pour m'occuper au mieux du troupeau, sans faire de différence entre les jeunes et les moins jeunes, dit Virgile, un peu vexé par la remarque.

Le père détourna son regard vers le fond de l'étable plongée dans l'obscurité.

— On serait surpris si on prenait le temps de compter les veaux qu'elle nous a faits et le lait qu'elle nous a donné. Si on prenait ce temps-là, m'est avis qu'on en gagnerait d'autre.

— Ça changerait quoi ?

— Rien, au fond, t'as raison, à part peut-être un peu plus de respect.

— Elles ont pas l'air malheureuses nos bêtes, même si tu trouves que je m'en sors sûrement pas aussi bien que toi.

— C'est pas ce que j'ai voulu dire, fils.

— Qu'est-ce que t'as voulu dire, alors ?

Virgile se mit à rincer le chiffon dans un seau d'eau. Son père s'approcha en grimaçant et vint caresser l'échine de la vache en faisant glisser ses doigts entre les croûtes de merde séchées enchevêtrées dans les poils roux, comme des nodosités accrochées aux racines d'une légumineuse.

— Ton frère est venu me parler ce matin, dit-il gravement.

— Ah… ça me concerne ?

La main du vieil homme se figea à la naissance de la queue de l'animal.

— Il voulait sa part.

Virgile ne broncha pas et se mit à essorer le linge, tout en s'efforçant de ne pas montrer l'émotion qui venait de le saisir.

— Tu dis rien ?

— J'ai rien à dire.

— Vous avez gardé ça pour vous pendant tout ce temps.

— Gardé quoi ?

— C'est plus la peine de jouer la comédie, Henri m'a tout raconté. Vous étiez cachés dans la barge à foin quand Martial est venu, ce jour-là.

— Ça me regarde pas.

— Quand je pense que vous êtes au courant depuis le début.

Virgile jeta violemment le chiffon dans le seau et se dressa face à son père.

— Ça me regarde pas, j'te dis.

— Justement si, ça te regarde.

— Tu vois pas que j'ai à faire ?

— Faut pourtant que tu m'écoutes encore.

— Et moi, j'ai plus envie de t'entendre.

— Je sais que c'est pas facile, mais après, il sera trop tard.

Virgile posa une main sur le flanc de la bête et referma ses doigts sur les poils graisseux, ses ongles fichés dans le cuir, à quelques centimètres de la main de son père, avec du dégoût dans la voix :

— T'as pas l'impression qu'il est déjà trop tard ?

— Je veux que tu saches que j'ai pas voulu ce qui s'est passé.

— J'ai réussi à convaincre Henri de pas parler, jusque-là, mais je me doutais bien qu'un jour ou l'autre, il voudrait te faire cracher le morceau. Je suis surpris que ce soit pas arrivé avant.

— Ton frère, c'est un chien fou, il est pas comme nous autres. On peut pas lui parler sans qu'il monte sur ses grands chevaux, comme si y avait que lui qui compte en ce bas monde.

— Je suis bien placé pour savoir ce qu'il est.

— Vous vous entendez pas tous les deux, mais je suis sûr qu'il est pas si mauvais, au fond.

— Il en a rien à faire de nous.

— Crois-moi, il se calmera quand il sera plus en guerre.

— Je suis pas sûr que t'aies raison.

— Tu verras ce que je dis, il faut juste l'aider un peu.

— C'est tout ?

— Je lui ai dit que je m'étais débarrassé de l'argent, qu'il était définitivement plus à moi.

Virgile fit mine de retourner à son travail :

— Alors, y a rien à ajouter.

— Quand je lui ai avoué ça, ton frère s'est mis dans une colère folle. Il m'a accusé d'être responsable de sa misère de toujours et de celle à venir.

— Sa misère…

— C'est ce qu'il a dit.

— Il a rien d'un miséreux.

— Il a toujours pensé que t'étais le préféré de la famille.

— J'ai pas l'intention de te juger, si c'est ce qui te fait peur.

— Bien sûr que si, tu me juges, et je suppose que ça doit pas dater d'hier.

— Les choses ont changé depuis le jour où je t'ai vu prendre le fric, ça c'est vrai, et j'y peux rien, mais te juger, ça, non.

— Je t'en voudrais pas.

— T'es encore mon père.

« Encore », le mot parut se fracasser sur le vieil homme.

— Personne peut savoir comment il réagirait, reprit Virgile.

Il lança ses deux bras en avant, comme s'il voulait se garder d'un danger, et tout son corps se mit à trembler. Sa voix, indécise jusque-là, devint étonnamment claire.

— Je me suis pas servi de cet argent.

— T'as bien fait ce que t'as voulu.

— Y a qu'à faire le tour des environs pour s'apercevoir que tout le monde a pas eu mes scrupules, et que ceux qui en ont pas eu sont pas moins bien considérés, au contraire.

— T'es en train de me dire que tu regrettes de pas t'être servi de ce fric, ou c'est autre chose que t'arrives pas à sortir, bon Dieu ?

— Non, mes regrets sont pas ceux-là.

Le père prit un temps. Il s'appuya contre le corps massif et immobile de l'animal. Il est probable que, sans cette aide providentielle, il se serait dissous dans le ru charriant le lisier jusqu'à l'égout.

— Il faut que tu saches, Virgile.

— …

— L'argent, je m'en suis pas vraiment débarrassé non plus.

— Tu comprends pas que je m'en fous ?

— Après la guerre, je l'ai mis dans un sac et j'ai pris le train pour Clermont où personne me connaissait.

— Tais-toi !

Le père sembla faire un effort démesuré pour ne pas quitter l'étable, mais il tint bon.

— Là-bas, j'ai longtemps marché, avant de me décider à entrer dans une banque. Une des journées les plus difficiles de ma vie.

Il s'interrompit et cracha de côté sur la litière fraîchement éparpillée, puis reprit :

— J'y suis jamais retourné chercher le moindre centime, Dieu m'est témoin. Depuis ce temps, je reçois des relevés de compte avec dessus le capital et les petits qu'il a faits, année après année, sans que je fasse rien pour que ça arrive, et rien contre non plus.

— Pourquoi tu l'as pas laissé pourrir, ce fric, ou brûlé, si t'avais pas l'intention de t'en servir un jour ? dit Virgile en jetant des regards mauvais à son père.

— J'en sais foutre rien, mais je l'ai fait. Et je peux plus revenir dessus.

— Et maman ?

Un violent courant électrique sembla traverser le vieil homme de part en part.

— Mêle pas ta mère à cette histoire.

— Tu lui as menti, c'est ça ?

— Elle a jamais été au courant.

— C'est pareil que si tu lui avais menti. Et maintenant qu'elle est plus là, tu me balances tout, dans l'idée que je me débrouille avec.

Le père fit un pas de côté et s'éloigna de la bête, comme un qui voudrait prendre le large. La voix du fils, un vent contraire en pleine face :

— Pourquoi t'as rien dit à mon frère ? Ça aurait arrangé tout le monde, en fin de compte.

— J'ai trop peur qu'il fasse des bêtises.

— Tu crois pas que t'es mal placé pour donner des leçons ?

— Cette femme qu'il a trouvée, elle a pas une bonne influence sur lui. Une pièce rapportée, pas comme ta Judith.

Virgile s'approcha de son père, désignant d'un doigt tendu l'espace hachuré de rides entre ses yeux.

— C'est leur vie, j'ai bien assez de la mienne. Et t'as rien à redire à son choix.

— Tu le défends, maintenant ?

— Je défends personne.

— Tu m'empêcheras pas de penser qu'il faut être né ici pour comprendre ce pays, dit le vieil homme en appuyant sur les mots, comme s'il s'appliquait à enfoncer des clous d'un seul coup de marteau à chaque fois.

— De quoi t'as si peur ?

— Si un de vous partait à cause de ce que j'ai fait dans le passé, ce serait la pire des choses… ma pire défaite.

— Tu crois vraiment que c'est ce qui se passerait si Henri savait la vérité ?

— J'ai aucun doute là-dessus.

— Et s'il vient me voir, je lui dis quoi, maintenant ? Je lui mens, moi aussi, c'est ça ?

— Je crois pas qu'il le fera.

— Tu le crois pas, mais t'en sais rien.

— C'est vrai, j'en sais rien.

— Alors, à quoi ça rime, nom de Dieu ? Qu'est-ce que tu veux que je fasse à la fin ?

— Je sais que, toi au moins, tu trahiras pas ta terre, dit le père d'une voix hésitante.

— Je comprends toujours pas où tu veux en venir.

Le père ménagea un silence.

— Je t'ai légué la totalité de l'argent.

Virgile laissa tomber le chiffon dans le seau. La vache agita sa chaîne en tendant son cou pour faire couler de l'eau dans l'abreuvoir. Le bruit ressemblait à une mèche qui s'enflamme.

— T'as fait quoi ?

— C'est toi qui vas les recevoir, maintenant, ces relevés.

— T'as quand même pas osé ?

— J'ai pas eu le choix, fils.

— Mais j'en veux pas de ton putain d'argent.

— C'est pas mon argent, ça le sera jamais.

— C'est toi qui l'as volé, j'ai rien à voir avec.

— Si c'était aussi simple…

— Tes erreurs, c'est pas les miennes, viens pas me les coller sur le dos, en plus du reste. On va faire comme s'il s'était rien passé.

— J'ai déjà tout réglé.

— Et tu crois que je vais te laisser faire sans rien dire ?

— Je suis désolé, mais y a pas eu d'autre solution.

— Comment t'as pu ? Je les ouvrirai jamais, ces lettres, je le jure sur ce satané cairn que tu vénères tant.

— Comme tu veux, fils… comme tu veux.

Virgile regarda son père comme s'il était devenu un étranger. Il prit alors conscience qu'il y avait bien pire que détester quelqu'un pour ce qu'il avait fait : le détester pour ce qu'il n'avait pas fait.

— T'avais pas le droit, dit-il en prenant son ombre à témoin.

Le père sembla un court instant chercher un peu de compassion dans le regard de son fils et n'y décela que de la colère. Il voulut ajouter quelque chose qui aurait peut-être pu les sauver de la haine et, ne trouvant rien à dire, sous le regard de son propre fils ravageant son corps, il quitta l'étable en traînant ses pieds sur les dalles souillées et crevassées, incrustations de sabots mille fois posés, mille fois retirés, pour que ne subsistent que des traces anonymes imprégnant la pierre.

Le vieil homme mourut douze jours plus tard, sans qu'ils ne se soient plus adressé une seule fois la parole.

Une métamorphose, c'est un peu comme si t'avais été un poisson avant de te transformer en humain.
Les seuls mots qui vinrent à Virgile en découvrant le corps de son père, allongé sur la lande, les seuls qui lui revinrent lorsqu'il l'accompagna au cimetière, le ventre dévoré d'une culpabilité sans bornes.

Le petit cadavre gît aux pieds de Georges, gluant de mucus. Pâle chair pointillée de quatre sabots jaunâtres dont le jour n'a pas voulu. La jeune brebis n'a que faire de la mort et lèche le survivant allongé dans la paille. De sa vulve ruisselle un sang clair et chacune de ses pupilles ressemble à une tache d'encre irrégulière flottant dans l'œil.

Désormais convaincu que la mère et l'agneau sont tirés d'affaire, Georges saisit la dépouille, la transporte jusqu'au tas de fumier et la jette dessus. Avant de rentrer, il observe les étoiles, attendant qu'elles disparaissent dans le jour naissant, qu'elles deviennent des présences invisibles repliées au fin fond de l'univers.

Georges retire ses bottes à l'aide du marchepied et pénètre dans la caravane. Il marque une hésitation en voyant Cory attablée, qui écoute la radio et sirote du café.

— Bonjour, dit-il en se dirigeant vers la cafetière.

Cory éteint le poste.

— Bonjour.

Georges quitte sa veste et l'accroche à l'andouiller d'un cerf monté en patère, fixé derrière la porte. Ses traits sont tirés par la fatigue accumulée durant la nuit. De profondes rides rayonnent de ses yeux et se perdent sous le couvert de ses cheveux. Son chandail est maculé de traces visqueuses, comme si des limaces avaient boulotté les mailles et qu'il ne demeurait plus que leur sillage desséché. Il se sert un bol de café, vient s'asseoir à table, puis se met à observer la fumée s'échappant de son bol, comme s'il s'agissait là d'un grand prodige. Cory lève sur lui des yeux encore bouffis de sommeil, attirée par le gilet souillé.

— Tu as pu te reposer ? demande-t-il.

— Tu étais où ?

— Une brebis a fait des jumeaux cette nuit.

— Ça s'est bien passé ?

— J'ai pu qu'en sauver un.

— J'imagine que tu es déçu.

— Un peu.

— Ça se produit souvent ?

Georges, pensif, en train de revivre la mise bas, *ce qui a déconné.*

— Oui, assez souvent, des fois même trois. D'habitude, je les sauve.

— Il y en a au moins un de vivant.

— Je suppose que c'est une façon de voir les choses.

— On dirait que ce n'est pas comme ça que tu les vois.

262

Georges étouffe la bouche du bol avec sa main, qu'il retire pour laisser s'envoler la fumée.

— Parfois, on a beau s'y connaître, c'est pas nous qui décidons de qui doit survivre, en fin de compte.

— Tu aurais peut-être eu besoin de moi ?

— Il était déjà mort avant de sortir.

— Tu en as fait quoi ?

Georges boit une gorgée du café, qui parcourt sa gorge en une exclamation liquide. Un silence, comme s'il repoussait le moment de révéler un crime inavouable.

— Je l'ai jeté sur le tas de fumier.

— Tu ne les enterres pas, quand ça arrive ?

— On n'a jamais fait autrement.

— Tu crois que je pourrais le faire ?

— Si tu veux, mais peut-être qu'une sauvagine s'en est déjà occupée.

— Je verrai bien.

— Ça te choque ?

— Je comprends.

— Je suppose qu'on a tendance à tout mettre à niveau quand on vit ici depuis longtemps… Qu'on finit par considérer que toutes les vies se ressemblent, je veux dire.

Georges termine son café d'une longue lampée et se lève.

— Il faut que j'aille chercher du matériel à la coopérative agricole. J'ai décidé d'attaquer la remise en état de la maison.

— Tu veux commencer quand ?

— Cet après-midi.

Georges prend un temps avant de continuer, comme s'il attendait une sentence.

— Bon, j'y vais, finit-il par dire en se dirigeant vers la porte.

— J'aimerais t'aider.

Main posée sur la poignée :

— M'aider ?

— Si tu veux bien.

Georges se concentre pour maîtriser la violente coulée d'air frais qui pénètre sa trachée. Comme saoulé.

— Te sens pas obligée, dit-il, le regard fixé sur la vitre munie d'une grille à hauteur d'homme.

— Ce n'est pas le cas.

— Tu as sûrement encore besoin de te reposer.

— Et toi, tu vas arrêter de me dire ce que je dois faire.

— Excuse-moi.

— Ça me fera du bien de bouger un peu.

— J'en ai pour une heure.

Georges tourne la poignée et s'apprête à sortir.

— Tu t'en vas comme ça ?

— Comme ça ? dit-il, surpris.

— Ton pull, on va penser que tu as tué quelqu'un, dit-elle avec un large sourire.

Écoute !

Le bruit du moteur décline au fur et à mesure que la voiture s'éloigne dans le chemin. Les changements de vitesse, comme les râles d'un supplicié. Une agonie de courte durée.

Sors !

La décomposition du fumier fraîchement entreposé dans la fosse libère des tortillons de fumée qui se perdent dans le brouillard matinal. Petite chose informe, couleur de mort, insignifiante, étalée sur un lit de paille souillée, à l'extrémité d'une planche vermoulue qui sert à faire rouler une brouette jusqu'au milieu du tas.

Une fourche est plantée au bord de la fosse. Cory saisit le manche usé à deux mains et arrache l'outil de son support fangeux. Pose un pied sur la planche, puis l'autre, dans l'attitude d'un mannequin s'entraînant pour son premier défilé. Arrivée au bout de la planche, elle fait glisser les quatre dents sous le corps malingre de l'agneau recouvert par endroits de liquide amniotique et de fibres placentaires ensanglantées. Le vestige d'un cordon ombilical se perd dans la couche de fumier, et une petite langue jaunâtre pend hors de la gueule, coincée entre deux rangées de dents semblables à deux plinthes carrelées.

Cory soulève la dépouille flasque qui glisse et tombe. Une colère incontrôlable incendie son visage. Elle saisit la fourche, comme s'il s'agissait d'un pieu à enfoncer, et la plante dans le ventre gonflé avec un bruit de flèche perforant une cible.

Elle tient à présent son déplorable fardeau à bout de bras, se retourne, traverse la planche dans l'autre sens, le cadavre pantelant au rythme de ses pas, et s'en va rejoindre le chemin. Un liquide noir et épais s'écoule des blessures infligées par les dents de la fourche, pareil à des sangsues rampant sur le métal.

Des gouttes de sueur racolent de longs cheveux qui se soudent en mèches autour du lobe de ses oreilles. Cory contourne la bergerie, dépasse le bâtiment d'une cinquantaine de mètres et s'arrête devant un grand roncier. Dépose le cadavre au sol, stabilise ses pieds. Mains fermement agrippées au manche, elle catapulte l'agneau dans les airs et il se décroche dans un bruit de succion répugnant, puis reste suspendu au milieu des tiges épineuses. Cory regarde autour d'elle, soucieuse, puis son visage s'éclaire. Elle plante la fourche en terre et s'avance vers un tas de pierres en partie caché par de hautes touffes d'herbes. En ramasse plusieurs de bonne taille, retourne près du roncier et se met à les jeter en direction du cadavre. Le premier jet manque sa cible, puis elle touche et, à chaque impact, l'agneau s'enfonce un peu plus, jusqu'à disparaître entièrement. Une étrange lueur de satisfaction au fond des yeux de Cory.

Personne ne viendra te bouffer, ici.

Ses mains se mettent à trembler. Elle les rassemble autour du manche de la fourche. Là, devant cette dalle piégeuse, elle se demande si la mort réside simplement dans le fait de disparaître de la vue des vivants, ou s'il s'agit d'un voyage plus subtil.

Devant la porte grande ouverte de l'écurie, sous un soleil évanescent, Karl fait lentement glisser une pierre d'affûtàge sur le fil de la lame de son couteau, toujours dans le même sens, en gestes précis qui arrachent des éclats de limaille à chaque passage. Il récite à voix haute des mots provenant d'au-delà de sa gorge.

Heureux l'homme qui supporte l'épreuve, car la probité de sa foi est vérifiée ; il recevra la couronne de vie promise par Dieu à ceux qui l'aiment.

Karl évalue le fil de la lame en la faisant tourner devant ses yeux. Satisfait, il entre dans l'écurie, retire sa veste et la pose sur un râtelier dominé par un réseau de caténaires de toiles d'araignée poussiéreuses. Sur l'un des murs, une gerbe de ficelles de lieuse est accrochée à un piton planté entre deux pierres recouvertes de salpêtre. Il en prélève deux, les laisse pendre comme un magicien s'apprêtant à faire un tour de passe-passe et fait un nœud coulant à chaque extré-mité.

Que personne, quand il est tenté, ne dise : « Ma ten-tation vient de Dieu », car Dieu ne peut pas être tenté de faire le mal et ne tente personne.

Il retourne près du box, sort le ragondin du carnier de sa veste, glisse un nœud coulant à chacune des pattes avant, puis attache les ficelles à deux crochets métalliques fichés dans une solive.

Chacun est éprouvé, attiré et trompé par son propre désir. Puis le désir engendre le péché, et le péché la mort.

Il ne connaît d'autre façon de revêtir sa pensée qu'en la recouvrant d'une peau épaisse. Une peau de chasseur.

Comprendre.

Il voudrait comprendre qui il est aujourd'hui : Cet homme qui fourguait son venin entre les cuisses de femmes réduites à l'esclavage de son désir ? Cet autre qui expie lamentablement ses péchés ? Qui ? Où se situe la vérité ? Lui, pour qui le jugement des hommes importait peu jusqu'alors, avant de saisir le lien entre la vision crucifiée du fils de Dieu et sa condition d'héritier. Devant l'animal suspendu, écartelé, on dirait un communiant qui demande pardon au cadavre, non pas de lui avoir ôté la vie, mais de ce qui va suivre, cette série d'actes qui pourrait enfin le mettre face à Dieu. Rituel nécessaire. Comme il y a bien longtemps, lorsqu'il déclamait sa foi sans fard sur un ring, en même temps que sa fureur, quand rien n'était cloisonné dans sa vie. L'incohérence de son existence dans un même verset de la Bible, la mort, le sexe, le repentir, et jamais l'amour.

Comprendre.

Karl pose une main sur le ventre encore chaud de l'animal et, de l'autre, fait glisser la pointe du couteau sous la peau. Il épluche le cadavre à petits coups répétés, sans que perle la moindre goutte de sang. Ensuite, il sectionne les tendons au niveau des articulations et casse les os d'un coup sec entre ses mains, comme s'il s'agissait de branches de bois mort. Puis il tranche partiellement la tête, de sorte qu'elle pend bientôt, simplement retenue par deux ou trois tendons épargnés, telle une capuche ridicule munie de cordons rouge sang. Il se recule, incline la tête et revient la couper net d'un geste rageur. La peau dans ses mains, aux allures de marionnette.

Et la lumière jaillit à l'intérieur de l'écurie. Bûcher rédempteur. La réponse qu'il cherchait. La seule qu'il envisage. Consomption des corps réduits à une maigre âme éperdue. Une âme de chasseur. Plus de place pour le doute. Ce qu'il doit combattre. Le chasseur au-dehors. Le chasseur en lui. Puisqu'il n'est pas de folie qui ne s'appuie sur une once de raison, pas de racine désemparée devant l'obstacle, puisque la folie serait de demeurer immobile, au lieu de faire éclater l'obstacle. Toute la puissance qui semble l'animer à présent.

Laisse dériver l'image de la fille.
Laisse venir le chasseur.
Approche !
Comprendre ce qu'il cherche, ce qu'il veut. Suivre le même chemin.
Comprendre d'où il vient.
Comprendre...
Où cela mène.
Au fils de pute.
À qui d'autre ?
Lui ?
Dieu soit loué.
Au nom du...
Lui.
La cause de tout.
Le nom du Père.

Virgile ouvre une petite armoire fixée sur l'un des murs de *l'autre-maison*. Il en sort un flacon. Une étiquette en partie rongée, avec une tête de mort sur fond orangé, où l'on peut encore lire le mot *Taupinol* écrit en gros caractères, *Strychnine* en plus petits, et juste en dessous est dessinée une taupe visiblement *calenchée* sur le dos dans une attitude grotesque.

Il dévisse le bouchon, approche son nez au-dessus de l'ouverture recouverte d'un dépôt granuleux.

On aurait dû s'en enfiler une rasade chacun, Jude, et on n'en parlait plus. Voilà ce qu'on aurait dû faire, si j'avais réfléchi un peu plus vite et un peu mieux.

Virgile essuie le dépôt à l'aide d'un mauvais chiffon qui traîne dans l'armoire, revisse le bouchon et fourre le flacon dans sa poche.

Sur une table recouverte d'une vieille toile cirée zébrée de multiples entailles et punaisée sur les rebords, s'étalent des bidons de lait en poudre, une boîte *Quality Street* remplie de cartouches vides et de bouchons en liège, des piles de journaux stockés pour allumer des feux, un seau et un fouet de cuisinier parsemé de traces de lait caillé. Virgile ouvre le large tiroir central de la table et prend le couteau à lame effilée et au manche recouvert de chatterton, ainsi qu'une seringue sans aiguille, une râpe à fromage rouillée, et deux gants fins qui bâillent d'une boîte en carton, comme la crête d'un jeune coq. Ses ustensiles en main, il quitte *l'autre-maison*, se rend sous l'appentis pour y chercher une bûche et la coince sous son aisselle gauche.

Virgile se tient maintenant au-dessus d'un arrosoir muni d'une pomme, rempli d'une eau croupie puisée au bassin. Occupé à racler la gangue verdâtre du fruit entourant une noix à l'aide de la râpe à fromage. Le brou se mélange laborieusement à l'eau et il brasse la mixture à l'aide d'un petit bambou. Puis, il s'en va la déverser à quelques mètres de là, le long d'une plate-bande d'hortensias plantés par Judith, dont les lourdes têtes fanées tiennent en équilibre sur leurs tiges creuses.

Une fois vide, il dépose l'arrosoir au sol, prend le temps d'allumer une cigarette et fume tout en observant les flaques de liquide imprégner la terre. Sa main droite triture nerveusement le flacon de strychnine dans sa poche. Bientôt, de gros vers de terre aux allures d'orvets émergent, fuyant le poison en tâtant l'air de leur extrémité aveugle. Virgile cale sa cigarette au coin de sa bouche et attrape une boîte de conserve posée sur le rebord du bassin, s'agenouille devant la plate-bande et, en tâtonnant, se met à ramasser les vers qui s'agglutinent dans le fond en une pelote visqueuse.

Lorsqu'il estime en avoir suffisamment récolté, Virgile retourne au bassin et aligne ses ustensiles, tel un chirurgien se préparant à tenter une opération. Il enfile les gants, sort le flacon de strychnine de sa poche et aspire le liquide opaque. Ensuite, il sort un ver de la boîte, le pose sur le billot, le coupe en deux par le milieu à l'aide du couteau, juste sous le nœud vital, et inocule le poison à l'intérieur de chaque extrémité béante qui se tortille lamentablement. Il fait subir le même sort à une vingtaine de lombrics et les replace dans la boîte. Quand il en a terminé, il retourne la bûche recouverte de mucus à l'envers, referme le flacon et le remet dans sa poche.

La boîte de conserve en main, Virgile traverse la cour et longe la façade de la maison et de *l'autre-maison*, puis ouvre un portail donnant sur une arrière-cour boueuse, où des canards barbotent dans une auge à cochon bosselée. D'un côté, l'ancien four à pain en ruine, et de l'autre, une enfilade de clapiers maçonnés aux portes délabrées, disposés sur deux étages, devant lesquels pleuvent les vestiges printaniers d'une glycine à fleurs doubles. Virgile rejoint un second portail grillagé qui donne sur le jardin. Pénètre dans un cimetière de fanes et de côtes de légumes. Plus loin, un antique pulvérisateur en cuivre est posé entre des pieds de tomates aux feuilles bleuies par les couches successives de sulfate de cuivre.

Il déterre un transplantoir fiché en terre près d'un cordeau emmailloté de ficelle tellement rafistolée qu'on ne distingue plus les extrémités des petits nœuds, qui font comme des plombs sur un bas de ligne. Les mains encombrées, Virgile marche jusqu'à un carré de trèfle violet et de luzerne lupuline, dans lequel on aperçoit les traînées laissées par les passages réguliers d'une faux. Là, il se penche et fait glisser ses pieds à la manière d'un patineur inexpérimenté, comme s'il cherchait quelque chose de précieux qu'il aurait perdu, dans ce lopin de verdure opulente.

Son pied droit bute bientôt sur un obstacle et disparaît en partie sous un monticule de terre fraîchement retournée. Virgile s'agenouille et pose la boîte de conserve près de lui, puis repousse la terre excavée de ses deux mains. Découvre l'ouverture par laquelle la taupe est montée goûter l'air frais et creuse un trou à l'aide du transplantoir en suivant la circonférence de la taupinière. Il palpe ensuite les parois ainsi révélées et met au jour plusieurs galeries de communication. Puis il saisit un premier ver mutilé, gorgé de poison, entre deux doigts gantés et le fourre dans une des galeries, répétant les mêmes gestes pour les autres.

Au moment de se relever pour s'en aller piéger une autre taupinière, il prend appui sur le manche du transplantoir et une coulée de lave vient lécher ses yeux. Son champ de vision réduit à une envolée de lucioles dans une nuit liquide. Son pied gauche se dérobe sous son poids et il tombe à la renverse. Regard hébété, planté en direction de la lande cramoisie. Mille crinières de mille fauves agitées par le vent, qu'il ne voit pas, pas plus que l'eau noire des Ores et le ciel dépoli, où des nuages crayeux et fibreux s'en vont défier en altitude les rayons du soleil. Laisse sa trace.

Virgile reste allongé de longues minutes, recouvrant lentement ses esprits. Lorsqu'il se sent un peu mieux, il retire ses gants, frotte ses paupières closes, appuyant jusqu'à la douleur et rouvre enfin les yeux. Une langue de lumière s'étire de haut en bas et des formes mouvantes se mettent à danser entre deux intervalles blafards. Virgile oublie la taupe à empoisonner, et tout ce qu'il y aurait à faire pour que cette journée s'arrime à toutes les autres.

Il oublie toutes ces choses qui ont tellement compté.

Toutes ces choses à faire et à refaire.

Le flacon dans sa poche.

Il n'y a plus de temps à perdre, plus un seul instant.

Juché sur un escabeau, Georges arrache au pied-de-biche le lambris cloué qui masque les poutres et le plancher. Trempé de sueur, il progresse en archéologue, sondant l'espace vide du plat de l'outil pour faire glisser au sol les fientes de rats, de chauves-souris, et parfois un cadavre desséché sans identité affirmée, ni odeur, ni substance. Il prend conscience que sa relation à la maison est en train d'évoluer, des sensations de bonheur et de peur mélangées. Plus vraiment d'angoisse.

Derrière lui, Cory décape les portes basses d'un grand bahut à l'aide d'une éponge imbibée de lessive de soude puisée dans une bassine. Grappes de raisin sculptées, gorgées de suie et d'huile de cuisson, dont elle rompt les noces avec application. Elle porte de longs gants en caoutchouc vert qui lui arrivent aux coudes. Georges se détourne pour se protéger des éclats de bois et son regard s'aimante à la silhouette accroupie de la jeune femme. Ses fesses rondes contraintes sous le pantalon, et sa poitrine qui se balance au rythme des gestes saccadés.

Il en vient à considérer que tout homme est fait pour aller au-devant du mystère, que l'immobilité ne vaut rien, qu'elle ne sert qu'à assassiner les pulsions de vie. Ce genre d'évidence, pendant qu'il fait sauter les lambourdes en sapin qui retiennent le lambris, révélant un ciel noué de lattes de chêne parfaitement conservé et ennuagé de tanin, jusqu'aux mesures crayonnées sur le bois par un ancêtre.

Maintenant parvenu à environ un mètre du mur, Georges aperçoit une étrange forme grisâtre coincée entre le lambris pas encore arraché et le plancher. Il descend de l'escabeau, attrape une torche dans une boîte à outils et remonte pour éclairer l'espace confiné. La torche dans une main, il sonde prudemment la forme avec le pied-de-biche. Des parois fibreuses se délitent, fines comme du papier de soie, une sorte de tour de Babel à la démesure d'un peuple d'insectes. À coup sûr un nid de guêpes ou de frelons abandonné.

Georges appelle Cory. Elle délaisse sa tâche et s'approche.

— Regarde ça, dit-il, en faisant tomber des fragments, qui s'égaillent en poussière de salive et en morceaux de murs alvéolés.

Cory se penche pour admirer la structure.

— C'est magnifique.

— Ça doit faire un sacré bail qu'il est plus habité.

Tout ce qui subsiste désormais du nid gît sur le sol. Une œuvre d'art dévastée, conçue pour une utile raison, un magistral projet ouvragé par un instinct

animal. Aussi friable qu'un rêve. La signature troglodyte du vivant disparu. Toutes ces confidences que la
maison se décide à faire.

*

Le soir dépose une ombre douce sur la voûte déli-
quescente du plafond mis à nu.

— Il est l'heure d'aller nourrir les bêtes.

Cory se redresse et observe les poutres biscornues
besognées par le temps.

— On dirait que la maison respire.

— J'ai toujours pensé que je pourrais jamais y
entrer, que je devrais même me résoudre à la brûler un
jour.

— C'est une belle maison.

— Son salut tient à peu de choses.

— Je n'ai jamais eu de maison à moi, dit-elle pensivement.

Georges balance un dernier paquet de lambris par
une fenêtre ouverte, comme pour résister à l'envie de
la lui offrir sur-le-champ.

— C'en était pas une à l'origine.

— C'était quoi ?

— Une bergerie. Après que mon grand-père eut
réglé la succession, mon père et ma mère l'ont trans-
formée en maison d'habitation, étant donné que mon
oncle gardait celle de ses parents. Ça marchait comme
ça, à l'époque, l'aîné avait encore ce genre de droit

que personne ne discutait. Je suis d'ailleurs pas sûr que les choses aient vraiment changé aujourd'hui.

— J'ai du mal à imaginer qu'il y ait eu un jour des animaux qui vivaient ici.

— L'escalier du fond donnait sur une barge où on stockait le foin, là où se trouvent maintenant les chambres.

— J'aime bien cette idée, dit Cory en souriant.

— Quelle idée ?

— Que les animaux ont préparé le terrain.

Georges ferme la fenêtre tout en regardant le verger à travers les vitres sales.

— Tu crois qu'on est différents des gens qui sont passés avant nous ? Vraiment différents, je veux dire… qu'on a quelque chose de nouveau à raconter ?

— Je n'en sais rien, je suppose qu'on est différents sans l'être vraiment, par petites touches, et que c'est une manière d'évoluer.

— Moi, je crois qu'on a une place à tenir et que c'est pas forcément celle qu'on attend de nous.

— Encore faut-il la trouver, cette place.

Georges se retourne et fait basculer son regard d'un côté à l'autre de la pièce.

— Qu'est-ce que tu penses de celle-ci ?

— J'en ai connu de bien pire.

Les pupilles de Georges ressemblent à deux flammes amusées par un courant d'air. Sans préméditation, il se met à caresser un des murs recouvert d'un enduit fait de sable et de chaux, une antique mixture de fortune aux teintes beiges parsemée de poussière de mica parvenue intacte à ce jour.

Cory pose à son tour sa paume sur l'un des murs, en imitant Georges, comme si elle cherchait à sentir le pouls sur un corps. Il s'approche d'elle et lui prend la main. Elle se raidit à ce contact.

— N'aie pas peur, dit-il d'une voix douce.

L'unique désir qu'il a : lui faire ressentir au plus profond ce qu'il est en mesure d'offrir. Elle résiste un instant, avant de se laisser aller à tracer un alphabet inconnu, à la manière d'un écolier guidé par son instituteur. Georges, en arrière, lutte pour ne pas souder son corps à celui de la jeune femme, s'abreuver, se saouler, fondre une lumière devinée dans une autre, vorace et dépravée. Une place à tenir.

Un territoire à partager.

Par-delà la terre des Condamines, dans un petit val ressemblant à une dalle de prairie coulée entre un coffrage fait de jeunes chênes et de genêts à balais, des animaux pesants émergent de la brume et se dirigent vers une mangeoire en ferraille recouverte de tôles ondulées rouillées. Un gros mâle en tête, boursouflé de muscles, suivi de génisses vivaces aux yeux de biche, et plus loin, de quelques vieilles carnes que personne ne songe à abattre, malgré leur assèchement utérin. Bêtes aux cornes lunaires cerclant l'astre dans l'aube primordiale. Robes de feu arrachées au ciel des morts. Puissante présence, régente et corps du ciel, âme vivante des arbres et de la terre.

Le chasseur est posté dans un bosquet d'acacias situé en surplomb de la prairie, clôturée par quatre rangs de fil de fer barbelé fixés sur des piquets écorcés, où sont accrochés çà et là des crins révélés par des gouttes de rosée transpercées de lumière. Une centaine de mètres plus bas, les animaux s'impatientent et beuglent d'une même voix tonitruante en se rapprochant de la barrière d'accès. C'est habituellement à cette heure-ci qu'arrive le tracteur, une grosse boule de foin piquée sur les dents de sa fourche hydraulique, comme un gros crabe promenant fièrement une proie à marée basse.

Le brouillard se lève, donnant à voir les robes crottées des bovins et leurs pattes bottées de terre, qui les font paraître plus petits qu'ils ne sont en réalité, presque difformes. Les animaux agitent leurs grosses têtes d'avant en arrière, comme prenant le ciel gris à témoin, dans lequel s'enfoncent leurs cris plaintifs ressemblant à des cornes de brume guidant le marin égaré. Le ronflement désordonné d'un moteur au loin.

Cinq jours que le chasseur chronomètre le temps nécessaire au trajet et à l'approvisionnement de la mangeoire. À une poignée de minutes près, cela lui laisse une bonne heure pour mettre à exécution son plan. Bien plus de temps qu'il n'en faut pour se rendre à la ferme. Vérifier encore une fois, pour ne rien laisser en pâture au hasard.

Il jette un coup d'œil dans la lunette de sa carabine, distingue la bouche mouvante de l'homme qui épelle des mots inaudibles, visant à amadouer les bêtes. Des mots enfantins et débiles, suppose le chasseur. Des mots paramétrés pour le genre de relation qu'il doit avoir avec ses animaux. Cette ridicule intimité.

Lorsqu'il en a terminé, l'homme sonde les environs du regard. Un instant, le chasseur a la sensation qu'il s'attarde plus que de raison dans sa direction. Peut-être le reflet du soleil sur la lunette de sa carabine ? Il abaisse son arme et se coule derrière le tronc d'un acacia. Dos plaqué à l'écorce. Le chasseur laisse filer soixante secondes, qu'il scande du majeur posé sur le pontet, et des fourmis noires vadrouillent au sol à une vitesse folle. Au terme du décompte, il risque à nouveau un coup d'œil en direction du troupeau.

L'homme referme déjà la barrière, puis monte sur le siège de son tracteur, comme un qui se hisse en selle, démarre et s'éloigne. Le pot d'échappement qui dépasse du capot éructe des bouquets de fumée noire à chaque changement de vitesse et des mottes de terre viennent cogner sur les garde-boue dans un infernal boucan.

Le silence revient.

Enfin le silence.
Pas la paix...
Jamais la paix.
Le silence.

Le chasseur demeure encore longtemps dans le bosquet. Se laisse envahir par les suppléments de lumière qui semblent amorcer la vérité du jour. Ce sentiment jubilatoire de *baiser* chaque nuit en déployant sa puissance sur des identités étales, sans aucune hiérarchie à ses yeux.

Dans l'après-midi, il se rendra à la rivière, s'accroupira sur la berge, comme un primate, pour purifier ses mains et son visage, et il dira l'avenir dans la paume du courant. Là-bas, il cherchera le lieu idéal à l'installation de son prochain campement. Sur la rive droite, exposée plein nord, cette fois. Puis il retournera épier le hameau, avant d'enfin révéler sa véritable identité.

Il ira ensuite traquer un gibier pour se nourrir et allumera un feu à la nuit tombée. Plus tard, il jettera sa semence divine au milieu des cendres, au-dessus d'un crâne en fusion. Et s'endormira en calant son sommeil sur la position des étoiles, bercé par la démesure des instincts qui amendent la vie et dévident sa raison. Deviendra cette feuille qui tombe, prise en charge par des buissons d'air, à la manière d'un petit cerf-volant enfantin aux attaches rompues. Puis, libéré de son poids, il s'étendra et se fondra dans la croûte d'humus.

Car, pour lui, deviner les secrètes espérances de ce monde est à ce prix.

Ce seul et unique prix.

L'enfant tentait de saisir ce qui se passait derrière la porte. Les horreurs qu'elle disait au type, qui avait pourtant l'air d'en redemander.

Cela ne dura pas longtemps. Un meuble renversé, des cris de damnés, comme une âme brûlée vive. Les rires de la femme. Sa propre mère. Le soulagement du gamin en entendant sa voix. « Chut », fit le type et elle se mit à rire plus fort encore. Rien de bienveillant. De l'ordre de l'avilissement. « Va-t'en, t'auras rien de plus », dit-elle. Il tenta à nouveau de l'amadouer d'une voix douce, sans résultat. « Fous le camp, maintenant que tu as eu ce que tu voulais. Je t'ai assez vu ! »

Le gamin se replia au fond du couloir, dans la pénombre d'une embrasure. Le type sortit de la chambre, sembla marquer une hésitation, puis referma la porte derrière lui d'un air dépité et se dirigea vers la porte d'entrée en fourrant les pans de sa chemise froissée à l'intérieur de son pantalon. Avant de sortir de l'appartement, il s'accroupit et entreprit de lacer ses chaussures devant un paillasson orné d'un grand papillon aux antennes démesurées. L'enfant le regardait faire, bouche refermée sur une peluche déchiquetée. Immobile, comme un personnage peint sur une toile. Ses yeux ressemblaient à deux réverbères allumés dans la nuit qu'était son visage. Le type prit alors conscience d'une présence. Il eut un sourire gêné en voyant de qui il s'agissait.

— Qu'est-ce que tu fais là ?

L'enfant ne répondit pas.

— Pourquoi tu me regardes comme ça, petit ?

L'enfant retira la peluche de sa bouche. Son regard ne quittait pas les mains qui finissaient de lacer les chaussures.

— Papa ? dit-il timidement.

— Quoi ?

— C'est toi mon papa ?

— Qu'est-ce que tu racontes, mon garçon ?

— Pourquoi tu viens voir ma maman, si t'es pas mon papa ?

Le type désigna la porte de la chambre.

— Tu demanderas à ta mère de t'expliquer.

— C'est à toi que je demande.

— J'ai pas le temps.

— Tu lui as fait mal ?

— Bien sûr que non, je lui ai pas fait mal.

— Pourquoi elle criait, alors ?

L'inconnu posa un regard attendrissant sur l'enfant.

— Tu es encore un peu jeune pour comprendre.

— Alors, tu jures que tu lui faisais pas mal.

— Je te le jure.

Il n'avait pas l'air mauvais, celui-là. Cela n'aurait pas dérangé l'enfant, qu'il soit son vrai père.

— Tu reviendras la voir ?

— Je crois qu'elle ne veut pas.

— Et si moi je te demandais de revenir.

— Je ne suis pas sûr que ça marche comme ça. Il faut que je m'en aille, maintenant.

— J'aimerais vraiment.

Le type se releva, s'avança vers le gamin et posa une main sur sa tête en lui ébouriffant les cheveux.

— Salut, gamin.

— Karl !

— Content de t'avoir connu, Karl.

— Et toi, tu t'appelles comment ?

— Tu n'auras qu'à demander ça aussi à ta mère.

Après que le type fut parti, Karl traversa le couloir, entrouvrit la porte de la chambre et passa discrètement la tête à l'intérieur. Sa mère était nue, allongée à plat ventre sur le lit. Elle fumait une cigarette et faisait tomber la cendre dans une tasse ébréchée, débordant de mégots, posée sur la descente de lit. Ses seins comprimés sur le rebord du matelas ressemblaient à deux brioches mal cuites. Elle frottait ses chevilles l'une contre l'autre dans une attitude grotesque de mauvaise actrice de cinéma et ses grosses fesses livides tremblaient à chaque mouvement.

Karl se risqua à pénétrer dans la chambre. Sa mère posa un regard froid sur cette petite créature désastreuse dans son pyjama dépareillé.

— Maman ?

— Quoi !

— Ça va ?

Elle se détourna de son fils, s'attarda sur la cendre de la cigarette, qui menaçait de se détacher, puis d'une voix sèche, elle dit :

— Je suppose que tu as pas pu t'en empêcher ?

— Il est gentil.

— Comment faudra-t-il que je te dise de pas te montrer quand un homme vient me voir ?

Le gamin s'avança d'un pas, implorant sa mère du regard.

— Je voulais savoir.

— Savoir quoi, putain ?

— Si c'était lui, cette fois.

— Je t'ai expliqué cent fois que ton père est parti il y a longtemps quand tu étais encore dans mon ventre. Il reviendra pas et c'est tant mieux. Tout ce que tu as à savoir, c'est que c'était un enfant de salaud qui nous a abandonnés.

Elle sembla parcourue par une onde de dégoût et la cendre tomba sur le tapis. Elle écrasa nerveusement la cigarette à demi consumée dans le cendrier de fortune et se tourna de côté pour regarder son fils. Dans ses yeux brillait une lueur crépusculaire. En bougeant, son ventre flasque se mit à rebondir sur le lit et ses seins dévalèrent son buste comme une avalanche de chair blanche sillonnée de veines bleutées. Elle serra ses cuisses, sans parvenir à masquer une forêt de poils bruns emmêlés. L'enfant chercha désespérément un point d'équilibre dans la pièce pour échapper à la vision et ne trouva rien que le lit dépecé, les draps souillés et un préservatif sur la table de nuit.

Elle émit un long soupir, puis agrippa Karl par une manche de pyjama et le secoua violemment.

— Tu recommenceras plus, hein, sale petit merdeux ?

— Tu me fais mal.

— T'as pas intérêt ! T'as bien saisi ce que je dis ?

Malgré les menaces de sa mère, Karl ne put se retenir de demander, avant de s'effondrer en larmes :

— Pourquoi il a fait ça, mon papa ?

— Pour la dernière fois, parce que c'est un enfoiré, un fils de pute, voilà pourquoi, comme tous les hommes !

— Il avait l'air gentil, répéta le gamin au milieu de sanglots.

— Il est comme tous les autres, je te dis. Et toi non plus, en grandissant, tu seras pas différent.

— Je serai quelqu'un de bien, maman.

— Tais-toi !

— Je te jure que je te décevrai pas.

— Ça existe pas, un homme bien.

— Pourquoi tu fais ça avec eux, alors ?

Elle regarda son fils d'un air amusé.

— Depuis que ton père s'est tiré, j'ai décidé que, quand l'occasion se présenterait, je donnerais rien sans que ça me rapporte quelque chose. Ça aussi tu le comprendras un jour.

— J'aime pas quand tu cries.

Elle se mit à rire et Karl sentit une forte odeur de tabac froid, mélangée à celle, rance, de la sueur, qui le révulsa.

— Tant que je crie, c'est que tout va bien.

— Qu'est-ce qui est bien ?

— Ça suffit, maintenant, tu es trop petit pour qu'on ait ce genre de conversation. Ce sont des histoires de grandes personnes qui te regardent pas. File dans ta chambre.

— Tu m'en veux toujours ?

— Oui, je t'en veux. Dégage, maintenant, avant que je m'énerve vraiment.

Elle balança ses jambes hors du lit, se leva et enfila une robe de chambre de couleur rouge. Aux yeux de l'enfant, elle ressemblait à une fleur de nénuphar à la dérive, et il ne savait pas nager.

Karl court depuis bientôt une heure. Les gouttes s'abattent dans un vacarme infernal, pareilles à des tiges de métal transperçant son t-shirt. Ses chaussures gorgées d'eau et de boue sont deux morceaux de fonte à ses pieds.

Il traverse la rivière sur un pont de bois, se tenant d'une main à la rambarde pour ne pas glisser, puis remonte une pente abrupte plantée de jeunes sapins et parsemée de résidus d'une coupe ancienne abandonnée par les forestiers. Il halète sous l'effort et ses pas se dérobent souvent sur le lit d'aiguilles accumulées au fil du temps.

Au sommet, une voie ferrée s'étire, rectiligne, et se perd dans les gouttes de pluie et de sueur qui ruissellent de son front. Karl enjambe un rail, puis pose ses pieds en équilibre sur une traverse crevassée et noircie, sertie de gros clous rouillés. Il se met à sautiller en balançant des directs dans le vide, comme s'il défiait un monstre de sortir de la bouche du tunnel se profilant au loin, coincé entre des terrils de mâchefer.

Il ne devrait pas tarder à se pointer.

Au bout d'un moment, les rails se mettent à trembler, à battre la mesure. Karl intègre le rythme et ses coups s'accordent au rythme. *Tatam tatam tatam.* Le cerveau inondé. *Tatam tatam tatam.* Uppercut. *Tatam tatam tatam.* Direct du droit. *Tatam tatam tatam.* Direct du gauche. *Tatam tatam tatam.* L'avant de la motrice émerge du tunnel, en vociférant et grimaçant dans le regard bafoué de Karl. Les rails lisses luisent comme du mercure solidifié, transmettent les chocs, et des caillasses couleur d'os tressautent à ses pieds. Il est prêt à en découdre avec le monstre qui s'amène au grand galop, drapé dans l'air vacillant.

Jacques adore circuler sur cette ligne à bord de sa vieille locomotive. Un bonheur qui s'achève, l'alpha et l'oméga de sa vie de cheminot. La ligne sera fermée dans un mois. Pas assez de voyageurs, pas assez de fret, pas assez rentable. Les grèves n'ont pas pesé lourd face à la direction, elles n'ont pas duré. Contraintes économiques. La loi du marché. Il en chialerait en y pensant, et il y pense à chaque instant lorsqu'il conduit.

Passé les deux longues courbes bordées de grands acacias, il y a le tunnel, puis la ligne droite, d'immenses forêts de pins, et quelques gares désaffectées aux fenêtres condamnées et aux murs tagués.

Au sortir du tunnel, la vue d'un type qui s'agite sur la voie à environ deux cents mètres de l'avant du train le sort de sa rêverie. Impossible de ne pas entendre le moteur. Jacques actionne l'avertisseur à plusieurs reprises. Si *le taré* ne bouge pas, il sait qu'il ne pourra éviter le choc. Des collègues lui ont déjà raconté comment des hommes se suicident de la sorte. Jusque-là, malgré son expérience, c'était pour lui de l'ordre de la légende, que quelqu'un soit assez fou pour se donner la mort de cette façon. Plus rien à faire. Il ferme instinctivement les yeux et les rouvre quelques mètres avant la collision, juste à temps pour voir le type plonger de côté.

Jacques n'en dormira pas de plusieurs nuits, en rêvera longtemps, et ralentira chaque fois qu'il repassera ici, s'attendant à trouver le type sur la voie. Un mois de plus.

Tout serait terminé, à l'heure qu'il est, se dit Karl, si seulement il avait eu plus de courage.

Sa mère.

La fille qui fait bouillir son sang.

La fille.

Aussi.

Il y pense jour et nuit, à la fille.

Se sent impur.

La fille…

Et le mystérieux chasseur qui joue des coudes dans *le bordel* qu'est sa vie.

Les derniers-nés s'agitent à l'intérieur de la bergerie, comme des poissons dans une frayère, pilonnant la paille fraîche de leurs sabots en essayant de perfectionner toutes les formes d'équilibre. Des brebis arrachent de rares brindilles de foin au râtelier, puis se tournent vers leur progéniture en mastiquant. Office passager de mère pressée d'abandonner leur chiourme à l'hypothèse d'une existence.

Georges initie Cory, lui explique comment décompacter une boule de foin, l'éparpiller et remplir les râteliers à l'aide d'une fourche à trois dents. Ils nourrissent le bétail en se faisant face, chacun à une extrémité de l'allée centrale, et se rapprochent lentement en dévidant l'andain sur les têtes des animaux avides. Les brins d'herbes sèches odorantes ressemblent à des couronnes ornant quelque déité en route pour le Golgotha. Le bruit des fourches raclant le sol en béton, pareil aux cris lancés par un geai effarouché. Georges observe Cory chaque fois qu'il relève sa fourche, ralentissant à dessein son rythme habituel. Il trouve qu'elle se débrouille bien pour une première fois, qu'elle apprend vite. Lorsqu'ils se rejoignent, il la félicite, lui prend l'outil des mains et le replace à l'endroit précis où il se trouvait.

Georges montre ensuite à Cory comment préparer un supplément de lait en poudre, mélangé à de l'eau, comment faire boire les agneaux à un récipient en forme d'arrosoir muni d'une tétine en caoutchouc. Et les agneaux accourent en faisant frétiller leur queue sans interruption. Georges en entrave un avec ses bras, afin que Cory lui offre sa pitance. Ils rient de sa maladresse, accentuée par l'impatience du nouveau-né, qui laisse échapper, à plusieurs reprises, la tétine de sa gueule dégouttant d'un lait épais mêlé de salive. Le récipient vidé, l'agneau s'en retourne auprès de ses congénères d'une marche hésitante, repu, le ventre gonflé.

— On dirait que j'ai plus grand-chose à t'apprendre, dit Georges sans ironie.

— Tu dis ça pour me faire plaisir.

— Pas tant que ça.

— Merci.

— Tu veux bien m'aider à vacciner les petits, maintenant ?

— Contre quoi ?

— Entérotoxémie, une maladie qui leur bouffe les reins.

— C'est grave ?

— Si jamais ils l'attrapent, y a rien à faire. Ils tombent comme des mouches, un beau jour, sans prévenir.

Agenouillée sur le sol de la bergerie, Cory contient un agneau entre ses bras et l'animal fourre son museau contre son buste en donnant des coups de boutoir, à la recherche d'une mamelle à téter.

Georges chasse l'air du corps de la seringue, puis pince la peau de l'agneau, enfonce l'aiguille et inocule le produit en un rien de temps. L'injection faite, Cory relâche l'animal qui se précipite vers sa mère en bêlant, comme s'il venait d'échapper à un prédateur, ivre de la seule forme de liberté qu'il connaîtra jamais.

— Il est sauvé et il n'en sait rien, dit-elle en regardant l'agneau.

— En principe, mais il faudra qu'on recommence dans quelques jours pour que ce soit vraiment efficace.

Cory fait mine de ne pas saisir l'allusion.

— Ça n'a pas l'air de le tracasser.

— J'ai l'habitude.

Georges attrape un nouveau flacon tiré d'une boîte posée sur un poteau où pend un bloc de sel largement entamé par les coups de langue des moutons. Cory dissèque ses gestes précis et assurés. Elle a l'impression de découvrir ses mains pour la première fois, leur force et aussi leur douceur, des mains capables d'arracher un agneau du sol, d'amenuiser la douleur autant qu'il est possible. Des mains constamment à l'affût, prêtes à crocheter, à parer les éventualités. Et parfois, des mains qui l'encombrent.

Après chaque injection, Georges note sur un cahier à spirale le numéro de l'agneau inscrit sur les boucles jaunes fixées à chaque oreille. Les vaccinations terminées, il fourre le cahier dans une pochette plastifiée accrochée au mur par un bout de raphia.

— Voilà, c'était le dernier.

— Tu ne leur donnes pas de nom, à tes moutons ?

Georges répond d'un ton blasé, comme si son affirmation était puisée à une source à laquelle tout le monde avait bu depuis toujours.

— Ça servirait pas à grand-chose, je les vends à huit mois pour la boucherie.

— …

— Et puis, ils ont tous un numéro, c'est déjà pas mal.

— Tu n'en gardes jamais ?

— Quelques brebis, de temps en temps, pour le renouvellement. J'en achète aussi ailleurs, pour éviter la consanguinité.

— Tu dois me trouver idiote, avec mes questions.

— C'est vraiment pas ce que je dirais de toi, dit Georges en essayant de réprimer un sourire.

— Tu dirais quoi ?

Georges prend une inspiration, conscient de s'être exposé en terrain découvert.

— Que t'es pas ce genre de femme.

Il se met à rassembler les fioles vides dans une boîte en carton, puis couvre l'aiguille de la seringue avec un capuchon en plastique. Chacun de ses gestes semble revêtir une importance capitale.

— Ma question te dérange ?

Georges dévisage Cory, et dit, comme s'il était en train d'annoncer la mort d'un être cher :

— Ce que je vois me suffit.

Cory ne renchérit pas davantage. Il y a comme du défi dans sa voix, lorsqu'elle parle à nouveau :

— Je suis passée voir si l'agneau était toujours sur le tas de fumier.

— Ah, et alors ?

— Tu avais raison, une sauvagine l'aura emporté.

Georges relève ses manches, ouvre une vanne et fait couler l'eau sur ses mains au-dessus d'un évier creusé dans un bloc de granit au fond de la bergerie. Il savonne, repasse plusieurs fois au même endroit. Cory dans son dos, les yeux fixés sur les muscles dorsaux qui bousculent les articulations des épaules sous le pull. Une pulsion brutale la ravage et les mots lui reviennent en mémoire à la vitesse du son lancé dans un vide sidéral. *Et le type qui te tabassait, il pensait que c'était bon pour toi ?*

Cory s'approche en silence de Georges, toujours concentré à rincer ses avant-bras. Dans ce réduit torpide entouré de balles de foin et d'animaux apaisés, sans même songer à la réalité de ses actes, elle plaque ses mains sur la poitrine de Georges. Surpris par l'intimité du contact, il cherche à se retourner, mais elle l'en empêche avec une force étonnante. Les mains glacées glissent sous le pull, escaladent le torse et se referment sur des touffes de poils. Georges se contracte, se retient de crier, sent les mains descendre sur son ventre, descendre encore, s'arrêter à la ceinture, la dégrafer méthodiquement. Puis Cory déboutonne la braguette. Les boutons, un à un, avec deux doigts seulement. Elle agit avec une lenteur démoniaque. Georges veut parler, mais elle place une main au goût de lait sur sa bouche pour le faire taire. Sort un sexe gonflé, le caresse, et le fait aller et venir, d'abord lentement, puis de plus en plus vite, serrant de plus en plus fort en butant contre les testicules. Georges ferme les yeux, un plaisir mêlé à la douleur monte au creux de son ventre, prêt à exploser. Cory prononce des mots qu'il ne saisit pas, comme un exorciste le ferait pour libérer du mal un corps possédé. Il ne sait à qui elle s'adresse véritablement et se laisse envahir, submerger par une vague immense. Son cœur menace de sortir de sa cavité. Il tente de maîtriser son souffle. Rien à faire. La sensation qu'un percussionniste fou frappe sur son crâne à grands coups de masse, de se laisser glisser sans résistance dans une nuit liquide. Sa tête bascule en arrière et il gicle sur la pierre creuse et le gros savon noir.

Ses pieds comme pris dans un bloc de béton, Georges ne saurait dire combien de temps a duré l'état catatonique qui a suivi la libération. Balance son buste d'avant en arrière. Quand il rouvre les yeux, son sexe douloureux est toujours tendu et son sperme éparpillé fait refluer une vague qui s'enroule comme de l'or en orbite autour d'une étoile morte.

Il ne sent plus la présence de Cory derrière lui. N'ose pas bouger pour autant. Une odeur sure recouvre les senteurs de foin et de suint animal. Honteux, il range sa verge, reboutonne son pantalon et se retourne. Elle a disparu.

Georges fait couler de l'eau dans l'évier pour faire disparaître les stigmates de son plaisir par le siphon, la tête encombrée d'une puissante déflagration qui cherche une issue.

Le bois tronçonné qu'on rend aux intempéries durant une année, avant de le faire sécher à l'abri pour le brûler ensuite, la mortaise ouvragée à la perfection afin qu'elle taise sa présence, la pluie qui irrigue et celle qui noie, le soleil qui réchauffe et celui qui détruit. Tout ce que la vie a confié à Georges est en train de se débiner par un siphon grand ouvert. Toutes ces choses convoquées mille fois ne lui sont d'aucune utilité à présent, face au désir dévastateur qui le boulotte, comme un ténia qui n'en finit pas de grossir dans son corps parasité. La puissance femelle de Cory.

Les mains en prière, Georges entend couler la douche, ses idées dans le plus parfait désordre. Il se demande ce que signifie le geste de Cory, s'il s'agit d'un cadeau d'adieu ou d'une promesse. Penche pour la première option. Il l'aurait bien mérité, après tout. Pourtant, il est trop tard, il veut qu'elle recommence. Il faudra qu'elle recommence, ou il en crèvera. Il est définitivement possédé par la jeune femme. N'y peut rien. Impossible de faire machine arrière. Il ne cesse de rêver à la distribution de ses courbes, ses mouvements, jamais rien d'anguleux, d'abrupt, ni de forcé, et parfois même, une ombre peut suffire. Quand elle est près de lui, il a la sensation permanente de glisser d'une falaise en tentant de se raccrocher à une racine fragile, et quand elle n'est pas là, le monde est vide.

Il ne sait pas s'il doit refouler ou laisser libre cours à ses pulsions. Ce qu'elle désire au fond. Une lutte de chaque instant à mener.

Ce plaisir qu'elle lui a donné et qu'il finit par envisager comme un dû.

L'eau ne coule plus. Georges relève la tête en direction de la porte fermée.

Cory apparaît. Il pose sur elle des yeux de chien. Ne pas fuir. Il aurait tant voulu la regarder quand elle lui a fait *ça*. Elle s'assoit de l'autre côté de la table, face à lui, les cheveux humides. On dirait que des vers luisants s'amusent à baliser son visage pour guider les mots qu'elle hésite encore à prononcer :

— Georges…

— On n'est pas obligés d'expliquer ce qui vient de se passer.

— Je ne sais pas ce qui m'a pris.

— Alors, y a rien à expliquer.

— Je ne veux pas que tu croies…

Georges, le regard éperdu, comme s'il se livrait sciemment au bûcher :

— Je crois rien, mais je pourrai pas faire comme s'il s'était rien passé, si c'est ce que tu me demandes.

— Moi non plus, je ne pourrai pas, dit-elle en fixant le plateau de la table en formica.

Ce que distingue Virgile, tout en conduisant, c'est cette teinte ocre caractéristique des ciels de grêle. Il sait pourtant que ce ne sont pas les nuages qui envahissent l'horizon derrière le pare-brise de sa voiture. Tout se confond. Le goudron scarifié par la pluie et le gel, et la végétation atone engluée dans la mélasse de son regard.

Il roule au pas, buste collé au volant. Les roues mordent souvent le bas-côté et la voiture revient sur la route en zigzaguant avant de reprendre une digne trajectoire. Par chance, il ne croise personne au cours des cinq kilomètres qui séparent sa ferme de son but. Conduire dans son état est loin de la raison, mais la raison, désormais, est une sirène privée de charme, et il ne pouvait demander à Georges ou à Karl de l'accompagner là où il va.

Il gare sa voiture dans une cour légèrement en pente et tire le frein à main. Les couches d'enrobé étalées annuellement ont atteint le seuil de la porte de la maison. Pas une seule créature domestique ne traîne dans les parages. Les portes de la grange et des étables sont peintes de la même couleur que les volets de la maison, un vert tendre et luisant comme de la fétuque ovine. Plusieurs antennes paraboliques sont accrochées au pignon nord, dirigées vers un relais que personne n'a jamais vu.

Une femme d'une cinquantaine d'années lui ouvre, la mine désabusée. Elle n'a pas vraiment l'air surprise de le voir. Les rides au-dessus de sa bouche ressemblent aux plis d'un rideau, et d'autres, autour de ses yeux, à des tiges de vigne vierge sur un mur en hiver. Elle porte un pantalon noir en velours et une veste en laine noire. Un jour, elle a dû être jolie.

— Je peux lui parler ?

— Je vais voir, entrez.

Elle précède Virgile dans une cuisine où bredouille un lave-vaisselle. Sur une table sans nappe, le journal du jour est ouvert à la page nécrologique.

— Attendez-moi là.

La femme disparaît derrière une porte attenante à une imposante cheminée qui ne sert visiblement plus qu'à entretenir la mémoire. De retour dans la cuisine, une poignée de secondes plus tard, tout en montrant d'un doigt la porte restée entrouverte, elle dit à Virgile qu'il peut entrer.

— Il perd un peu la carte, à son âge, ajoute la femme, trop fort pour que Virgile soit le seul à l'entendre.

Il hoche la tête et entre dans une pièce obscure qui sent l'encaustique et la vieillesse, puis ferme la porte derrière lui. Il ne saurait dire où il se trouve précisément, un salon, ou une chambre, peu importe. Seul le son d'une respiration laborieuse trahit une autre présence. Quelqu'un qui l'attend.

— Reste pas planté, approche-toi, maintenant que tu es là.

La voix de Martial chevrote. Il s'interrompt et reprend sans laisser à Virgile le temps de parler.

— Je me demandais bien quand tu allais finir par venir. Un peu plus, et c'était trop tard.

— Si j'avais pu faire autrement.

— J'ai entendu la bru, ça m'amuse qu'elle croie que je perds la boule.

— Elle a juste dit que ça pouvait t'arriver.

— C'est vrai ce qu'on dit ?

— Quoi ?

— Ta Judith.

— Je suis pas là pour entendre tes condoléances.

— J'avais pas l'intention de t'en faire.

— Je les aurais pas acceptées de toute façon.

— Assieds-toi, dit le vieillard, comme s'il lançait un ordre.

— Je suis bien debout.

— Qu'est-ce que tu veux ?

Virgile s'avance à tâtons, guidé par la voix.

— T'en as pas une petite idée ?

— J'ai passé l'âge des devinettes.

— Une vieille histoire.

— Remuer les vieilles histoires, c'est pas forcément une chose à faire, tu crois pas ?

— Bientôt on pourra plus.

— T'es sûr de ce que tu veux ?

— Ça oui.

— Pourquoi maintenant ?

— Ça me regarde.

— Je t'écoute, dit le vieillard en soupirant.

— Mon frère, Henri…

— Eh bien ?

— Je sais qu'il est venu te voir, avant son accident.

— C'est vrai.

— Qu'est-ce qu'il voulait ?

Le corps de Martial oscille sur son fauteuil.

— Ça remonte à longtemps.

— Fais pas semblant de pas te rappeler, je suis pas ta bru.

— C'est pas ce que j'ai voulu dire. J'ai beau avoir un bout de ferraille dans la caboche, j'ai encore une sacrée mémoire.

— Alors, je t'écoute.

— J'imagine que tu dois le savoir aussi bien que moi, ce qui s'est passé.

— Je veux l'entendre de ta bouche.

— Comme tu voudras. Ton frère, il est venu m'avouer que vous étiez au courant tous les deux, pour le fric de la Résistance, depuis le début.

— C'était quand ?

— Le 12 août 1975 exactement, juste après la mort de ton père.

Virgile marque un temps, pour digérer autant que possible ce qu'il ressent comme une provocation.

— Et après ?

— Il voulait que je lui rende la part de ton père.

— La part de mon père ?

— Ton frère m'a raconté que ton père a jamais parlé du fric, mais que vous avez assisté au partage dans la grange, que ni l'un ni l'autre vous saviez où il l'avait planqué, et comme votre père a apparemment jamais utilisé le moindre centime, ton frère était persuadé qu'il avait fini par le refuser et me l'avait rapporté.

— C'est tout ?

— Pourquoi je te mentirais ? Je croyais qu'il t'en avait parlé.

Virgile crochète ses doigts dans le vide.

— On t'a vu menacer notre père avec un couteau, dans la grange.

— Je sais ce qu'on raconte sur mon compte, mais c'était du flan, je lui aurais jamais fait de mal à votre père. Je voulais juste l'aider à comprendre où était son intérêt.

— Et mon frère, il t'a cru quand tu lui as dit que t'avais jamais vu la couleur de cet argent ?

— Je crois pas. Il était sacrément en colère, ce jour-là. Il m'a dit qu'il me laissait trois jours pour réfléchir.

— Trois jours, dit Virgile, comme s'il venait de recevoir une gifle.

— Je lui ai répondu qu'il aille se faire foutre, que ça changerait rien, que celui qui me ferait chanter était pas encore né.

Le vieillard dégrafe son dos du dossier du fauteuil avec une vigueur surprenante.

— Je sais à quoi tu penses. C'est le jour où ils se sont tués contre cet arbre, mais j'y suis pour rien. Ton frère, il était comme fou quand il est venu, y avait que le fric qui comptait. Moi, j'ai toujours pensé qu'il en voulait pas pour lui, votre père, qu'il vous le léguerait un jour ou l'autre, mais c'est visiblement pas ce qu'il a fait.

— Pour ce que j'en sais, cet argent a été sa croix pendant toute sa vie.

— Tu parles de regrets ou de remords, là ?

— Joue pas au con avec moi.

— Ça risque pas.

— On dirait que t'as pas terminé.

— Foutue tête de bois. Avant de partir, ton frère a dit qu'il reviendrait avec un témoin et que je pourrais pas me défiler cette fois. Au début, j'ai cru qu'il parlait de toi. Je suppose qu'il avait déjà dû mettre sa femme dans la confidence.

— Ils rêvaient d'autre chose, tous les deux.

— Autre chose qu'une vie de paysan… comme Georges, pas vrai !

Virgile élève la voix.

— Mêle pas Georges à ça, bordel de merde !

— J'imagine que ça pourrait bien le regarder un jour ou l'autre.

— C'est pas tes oignons.

— J'arrive pas à comprendre pourquoi votre père a pas voulu que vous en profitiez, la guerre était oubliée, il pouvait tout recommencer à zéro.

— C'était un honnête homme, mais ça, tu peux pas le comprendre.

Martial lève une main, actionnant l'index, comme s'il appuyait sur une gâchette.

— Et tu peux me dire aujourd'hui où ils l'ont mené, ses principes, et son honnêteté ? Il me semble que t'es bien placé pour savoir que c'est pas ce qui fait bouillir une marmite.

— Qu'est-ce que tu veux dire ?

— T'as vu l'état de ma ferme ? La génération de mon fils et celle de mes petits-enfants peuvent au moins s'appuyer sur ma décision, sans se poser de question. Le plus important est dans ce qu'on laisse, Virgile, pas dans des foutus principes, et encore moins dans l'honnêteté. T'aurais failli mourir une fois, comme moi, tu le saurais.

— C'était de l'argent volé à la Résistance, bon Dieu.

— Qui sait ce qu'elle en aurait fait, la Résistance. Elle aussi, elle a fait des trucs pas jolis-jolis à l'époque.

— C'était la guerre.

Le vieillard se tait, comme si on venait de lui plonger la tête sous l'eau, avant de le relâcher pour lui laisser une dernière chance d'avouer, puis il se ressaisit :

— Ici, on n'est pas autre chose que des résistants. À notre manière, on n'a jamais cessé d'être en guerre.

— À aucun moment t'as regretté ce que t'as fait ?

— Ce qu'ON a fait.

— Joue pas sur les mots, Martial, c'est pas le moment.

— Ça servirait à quoi de regretter. J'ai toujours pensé que ce fric était un don du ciel, et c'est pas un donneur de leçons comme toi qui me fera changer d'avis, même aujourd'hui que j'arrive au bout de la route.

— J'arrive pas à croire que ta conscience t'ait jamais travaillé.

— J'ai tué personne, alors pourquoi elle devrait me travailler ?

— Et mon frère, il est mort, lui !

— T'as pas le droit de me mettre ça sur le dos. C'est vos affaires, pas les miennes. J'ai ma conscience pour moi.

— T'en as pas, de conscience.

— Pense ce que tu veux. Moi, j'ai fait ce qu'il fallait pour que ma famille manque de rien, et c'est pas le cas de tout le monde.

— Espèce d'ordure.

— Tant qu'on est à remuer la merde, y a une chose que je pige pas. Pourquoi tu me demandes pas si ton père m'a ramené le fric ? Si tu poses pas la question, c'est que t'as la réponse.

Virgile esquisse un geste en avant. Envie de briser les os du vieillard, puis se ravise. Un geste qui n'échappe pas à Martial.

— Tu peux me balancer ton poing dans la gueule si ça te chante, je pourrai plus te répondre, mais ça changera rien.

— Tu me dégoûtes.

— Tu veux que je te dise ? T'es pas venu pour que je te raconte une histoire que tu connaissais déjà, au fond, t'es venu pour avoir quelqu'un d'autre à détester que toi, et visiblement, ça marche pas si bien que ça.

— J'espère vraiment que tu vas en baver en crevant et que toutes les saloperies que t'as faites dans ta vie vont t'étouffer.

— Ce que tu veux pas comprendre, c'est que, dans la vie, y a ce qui nous arrive sans qu'on l'ait décidé, et, pour le reste, les hommes ont des choix à faire, sinon, tous autant qu'on est sur ce foutu Plateau, on crèverait dans le même lit. Si y en a qui s'en sortent mieux que les autres, c'est qu'ils savent attraper ce qui se présente sans faire la fine bouche. La morale et toutes ces conneries qu'on nous apprend à l'église, ça a jamais rendu les gens moins malheureux. La vie, mon pauvre Virgile.

La tirade de Martial se termine par une violente quinte de toux qui fait tressauter son corps dans l'obscurité. L'air qu'il tente de rapatrier dans ses poumons siffle comme le vent quand il s'engouffre dans une canalisation. Virgile reste impassible. Cela ne le dérangerait pas qu'il meure, là, tout de suite. Et après bien des efforts, le vieillard finit par reprendre son souffle :

— Fous le camp, maintenant ! Va te battre avec ta conscience et laisse-moi. C'est trop tard.

Virgile s'avance pour tenter de mieux distinguer la forme recroquevillée de nouveau bousculée par des ondes incontrôlables, puis abandonne et se replie dans le fond de la pièce en se dirigeant grâce à la faible lumière qui encadre la porte. Au moment de quitter la pièce, il dit :

— Je crois pas que tu vas partir sereinement, malgré tes boniments.

— Fous le camp de chez moi, je te dis.

— T'es déjà mort, Martial.

— C'est toi qui es foutu, et ça fait longtemps que tu le sais.

Virgile sort de la pièce, ses pas en accord avec la respiration violente de Martial. Puis il traverse la cuisine et il n'y a personne pour le voir s'appuyer au dossier d'une chaise, comme un enfant cherchant l'équilibre avant son premier pas.

— *Jude, je voulais te suivre.*

— *Pourquoi tu l'as pas fait ?*

— *Y a Georges... et Karl.*

— *Tu sais ce que j'en pense de Karl, mais t'as toujours fait ce que tu voulais.*

— *Et Georges ?*

— *Cherche pas à visser ta casquette sur une autre tête que la tienne.*

— *T'es pas juste.*

— *J'imagine que c'est pas pour qu'on se dise des politesses que tu m'as fait revenir.*

— *Rien va plus depuis que t'es partie...*

— *Parce que ça allait, avant ?*

— *Bon sang, Judith, d'où tu me balances ces vérités ?*

— *Et toi, avec qui tu crois parler en ce moment ?*

Cory cherche l'improbable point d'équilibre d'un mug. L'eau feule en remontant par le capillaire de la cafetière que Georges vient de mettre en route.

— Je peux te demander un service ? dit-elle.

— Évidemment que tu peux.

— J'aimerais que tu m'emmènes en ville, faire quelques courses.

— Je peux te prêter ma voiture, si tu veux.

— Je n'ai pas le permis.

Georges pose une main sur la porte du frigo.

— J'ai rien qui presse à la minute, on pourra y aller quand tu voudras.

— C'est possible aujourd'hui ?

— Oui, pourquoi pas.

— Ça peut attendre, si tu n'as pas le temps.

— Tu en as sûrement marre d'être enfermée ici.

— Je ne suis pas enfermée, à ce que je sache.

— J'imagine que ça pourrait te faire tout comme.

Cory effleure l'anse du mug du bout des doigts.

— C'est pas le cas.

Georges ouvre la porte du frigo et en sort une motte de beurre et un bocal de confiture.

— J'espère que tu trouveras ce que tu cherches, dit-il d'une voix neutre.

— Ce que je cherche ?

— En ville, je veux dire, j'espère qu'il y aura tout ce que tu veux.

— Je ne suis pas une fille compliquée, tu sais.

Georges semble pris dans un goulet, à tenter d'imaginer ce que revêt la demande de Cory, si c'est bien seulement pour faire des courses qu'elle veut retourner en ville. La crainte qu'elle se prépare à partir et qu'elle n'ose le lui dire.

— Tu devrais plus souvent dire ce que tu penses, dit-elle.

— Ce que je pense ?

— Je t'entends cogiter d'ici.

— Je me suis toujours dit que c'était pas une chose à faire.

— Pourquoi ?

Georges resserre ses mâchoires pour ne pas laisser dévaler de sa bouche des mots qu'il pourrait regretter, puis reprend :

— Quand on vit les uns sur les autres à longueur d'année, ça aide à se supporter de pas tout se dire. J'imagine que ça entretient aussi l'espoir.

Le visage de Cory se ferme. Sa voix est pareille à un filet d'eau s'écoulant sous une épaisse couche de glace :

318

— Je pense plutôt que l'espoir est un leurre qui endort.

Georges a la sensation qu'on vient de lui glisser une tige d'acier à l'intérieur de la colonne vertébrale.

— Peut-être que je serais pas là, si j'avais eu assez de cran, à une autre époque.

— Pourquoi tu dis ça ?

— Parce que je suis heureux que cet espoir se soit pas réalisé.

— Comment tu peux en être sûr ?

— On serait pas en train de se parler en ce moment, si j'étais parti d'ici.

— D'autres choses te seraient arrivées.

— Je regrette rien de ce que j'ai pas eu le courage de faire.

— Tu ne crois quand même pas au destin ?

— Pas plus qu'au hasard.

Cory hoche la tête et un étrange sourire déforme le coin de sa bouche, presque triste.

— Personne peut changer du jour au lendemain, reprend Georges comme s'il voulait effacer une ardoise d'un seul coup de brosse.

Elle relève les yeux sur lui d'un air incrédule.

— Je ne demanderais ça à personne.

Georges a l'impression d'avoir identifié une vanne bloquée dans son corps. Peur de la casser si jamais il force trop sur le mécanisme. Il voudrait ajouter quelque chose, mais rien ne parvient à sortir et la lumière semble fuir deux petits soleils éteints dans ses yeux. Cory cherche à capter son regard. Fuyant.

— J'ai beaucoup réfléchi à ce qui s'est passé l'autre jour, dit-elle, comme si elle avait manœuvré depuis le début pour en arriver là.

Les mains de Georges, pareilles à celles d'un mime qui tenterait vainement de matérialiser une paroi, fabriquer une illusion.

— On avait dit qu'on prendrait le temps.

Cory baisse les yeux, on dirait qu'elle se parle à elle-même et il n'y a pas la moindre hésitation dans sa voix :

— Je ne regrette pas.

Des guirlandes de panique éclairent le visage de Georges. Il est incapable de parler, trop occupé à se persuader d'une réalité incendiaire, un feu dans lequel il rêve de se jeter corps et âme, sur-le-champ.

Cory ouvre ses mains au-dessus de la table, comme pour laisser échapper un petit oiseau et elle ajoute :

— Ce ne sont pas des paroles en l'air.

Georges jette un regard en direction d'une pile de livres :

— Je sais que c'est pas ton genre d'en dire.

Cory se lève. Georges voudrait tenter quelque chose, la retenir, de façon à nourrir les forces telluriques engendrées. Mais ses muscles ne répondent pas et la force lui manque. Un venin dans ses veines, qui paralyse ses racines de chair.

La ville apparaît au fond de la vallée, à la suite d'une série de lacets. Sur la droite, à flanc de colline, on peut voir des jardins ouvriers datant d'une époque où la manufacture d'armes était florissante et employait une bonne partie de la population locale. Des cabanes croulantes faites de tôles et de bois de récupération, pareilles à des machines de guerre moyenâgeuses abandonnées après un siège. Forteresse campée au sommet, avec ses murs meurtris de lézardes et surmontés de pelotes de fil barbelé, au donjon à peine visible serti de haut-parleurs. Le cimetière, bientôt, disposé en terrasses, d'où émergent de rares tombeaux grandiloquents qui se dressent dans toute leur arrogance, noyés au milieu des sépultures prolétariennes.

La voiture pénètre en ville au terme de la descente sinueuse. Les rayons du soleil biaisent le ciel et se posent sur la rivière qui partage la cité en deux comme une fermeture Éclair. Pour la première fois, Georges ne ressent pas l'étouffement habituel produit par les deux collines qui, tour à tour, étalent leur ombre déchirée par une hésitation à mi-jour.

Il gare la voiture le long d'un trottoir qui borde la rive gauche de la Corrèze. Ils n'ont guère parlé durant le trajet.

À peine Cory est-elle descendue que Georges a le sentiment que son comportement change, comme si elle amplifiait chacun de ses gestes à la mesure de leur signification réelle. Il se dit que l'anonymat que procure la ville y est pour beaucoup, à moins qu'il se trompe, et qu'il ne l'a jamais regardée comme il la regarde maintenant. Ce poids en lui, plus léger que jamais. Ce qui le rend heureux en cet instant le terrifie tout autant.

Il se demande si la condition ultime de tout homme, face à une femme, est d'évoluer dans une forme de déséquilibre. Avec la conscience aiguë de sa respiration limpide, qu'il ne s'agit pas d'un réflexe absurde et qu'ici, son souffle n'est en rien floué par les vents du Plateau. Ce qu'il apprivoise en gardant ses distances, cette envie de pleurer et de rire en même temps. Tout ce pour quoi il n'a jamais osé lutter, n'ayant jusqu'à présent rien à défendre qu'un honneur moribond sur une terre désastreuse. Rien de précieux à perdre. Et désormais, il y a cette femme qui fertilise le granit et grandit les couleurs. La représentation musicale du monde, la sensation de l'entendre, d'en faire enfin partie. Exister ailleurs et autrement que par la terre qu'il cultive. Ensemencer autre chose qu'un champ ingrat.

S'émerveiller du jour qui se lève. Passer de la folie au courage sans y perdre son âme.

De temps à autre, Cory ralentit son pas, s'attarde devant une vitrine et se tourne machinalement vers Georges perdu dans ses pensées, comme si elle demandait une permission.

Après maintes hésitations, elle se décide à pénétrer dans une boutique. Peu à l'aise au début, elle finit par se détendre. Détaille un portant sur lequel sont suspendus des jeans. Trouve sa taille et entre dans une cabine d'essayage. Passe le vêtement, sort et se regarde dans une glace en fronçant les sourcils. Georges ne sait que faire de lui, à regarder où elle n'est pas, se raccrochant aux autres clientes qui défroissent leur image sous de petites trahisons colorées. Elles sont tellement ternes à côté de Cory. Insignifiantes à ses yeux. Aucune aide à attendre de ce côté-là. Il ne peut s'empêcher de songer aux mille façons d'ôter la toile délavée parfaitement ajustée sur son corps.

Cory lui a dit qu'elle ne regrettait rien, mais il se demande ce qu'il va faire de ça, maintenant. Cette folle espérance qui le lamine tout autant qu'elle le remplit de bonheur. Son expérience en matière de femmes se résume à de peu convaincantes prouesses avec une fille du village, il y a longtemps.

Laisse aller.

Cory ressort de la cabine et il s'approche d'elle, comme un automate qui menace de tomber en panne de batterie à tout instant.

— Je peux te l'offrir ?

— Il n'y a pas de raison, dit Cory en faisant mine de refuser poliment.

— C'est vrai, il n'y en a pas.

— Tu es adorable.

« Adorable », c'est bien le mot qu'elle a utilisé et il lui est destiné à lui, Georges. Quelques années-lumière passées dans un trou noir pour s'en convaincre. Puis regagner la terre ferme. Un gamin qui lutte pour paraître un homme.

Ils longent les quais en silence. Passant devant une pharmacie, Cory dit à Georges de l'attendre un moment dehors. Ils se rendent ensuite au quartier de la cathédrale et s'assoient à la terrasse d'un bistrot. Elle commande un thé et Georges un café. La place située face à l'entrée de la cathédrale a des allures de petit village, là où quelques commerces éphémères se muent en ruchers en ce jour de marché.

— Merci, dit-elle en laissant son regard voyager sur les étals multicolores.

— C'est pas grand-chose.

— Pour tout, je veux dire.

Georges lève les yeux au ciel et, comme s'il récoltait le distillat brut de ses pensées, il dit :

— Même après les saloperies que je t'ai dites l'autre jour ?

— Je sais que tu ne les pensais pas.

— Je m'en veux toujours, tu sais.

— J'ai décidé de ne plus y penser, dit-elle fermement.

Georges se rapproche brusquement de la table, renverse la tasse à café vide et saisit le rebord du plateau à deux mains pour le stabiliser. Ses yeux parcourus de veinules sont deux ornières d'argile desséchées lorsqu'il parle.

— Jamais je te ferai de mal.

— C'est oublié, je te dis.

— Si tu savais comme j'aimerais revenir en arrière.

— Ça ne sert à rien de revenir en arrière, crois-moi, c'est pas une chose à faire, dit Cory, en fixant la bouche béante de la cathédrale, par où entrent et sortent les gens, pendant que sa voix s'étouffe lentement, comme si quelqu'un venait de jeter une couverture par-dessus.

Un silence s'installe. Cory observe une mouche qui se délecte de grains de sucre éparpillés sur la table. Sa main droite se déplace lentement, comme si elle attendait le bon moment pour l'écraser.

— Ça va ? demande Georges.

— On pourrait rentrer ?

— Si tu veux.

— Je me sens un peu fatiguée.

Une grimace déforme légèrement son visage lorsqu'elle se lève de la chaise. En chemin, Georges règle son pas sur celui de Cory.

Ils reprennent la route. Dès les premiers virages, elle demande s'il peut ralentir.

— Tu te sens pas bien ?

— J'ai un peu mal au cœur, mais ça va passer.

— Tu veux que je te dépose chez un médecin.

— C'est rien, des histoires de femme.

Il se produit quelque chose d'étrange en Georges, une sorte de fulgurance, comme si Cory devenait quelqu'un de plus grand encore que ce qu'elle était jusqu'alors, comme si elle renfermait désormais plus que sa propre personne, ses propres désirs. Comme s'il se sentait, lui, en capacité de phagocyter cette douleur récurrente qui la noue, de l'annihiler en évitant le déraillement interne de ce corps. Ce corps qu'il désire par-dessus tout. Ce corps qui supplie.

Il est tard.

Le chasseur jeûne depuis le matin. Une règle qui vaut lorsqu'il s'apprête à traquer une proie.

Assis sur une racine moussue de chêne, ses jambes repliées contre son torse, tête posée sur les genoux, il observe en contre-nuit les branches des arbres qui dessinent au pochoir des lézardes mouvantes sur un mur étoilé. Chat-huant aux aguets, maraudeur immobile. Dans le ciel, des oiseaux de passage balbutient leur savoir, invisibles. Aucune émotion ne traverse le chasseur en cet instant. Un rocher que rien ne pénètre.

Le reflet de la lune surligne la surface de l'étang des Ores, et les rares sons amplifiés par l'absence de bruit ressemblent à de sinistres déclarations d'amour anonymes. Quelques mètres en arrière, le trop-plein s'écoule dans le ruisseau, là où de grosses écrevisses américaines viennent se repaître des cadavres de poissons entraînés par le courant et bloqués par une grille en métal rouillé.

Il demeure ainsi une heure, à se répéter un scénario peaufiné, puis se lève et retourne à son campement.

Il ravive les braises en soufflant et remet du bois sec par-dessus. Il sort ensuite une burette d'huile de son sac à dos et un morceau de Polyane transparent qu'il déroule sur le sol à la lueur du feu. Il dépose sa carabine sur la bâche en plastique, l'inspecte, graisse les mécanismes, puis introduit une cartouche. Il fait jouer la culasse d'avant en arrière à plusieurs reprises et met en joue l'étoile du Berger.

Il passe la nuit accroupi près du feu, qu'il nourrit à l'envi en regardant les flammes danser en formes déglinguées qui meurent dans l'obscurité. La chaleur entame la peau de son visage, l'empêchant de s'endormir. Il a pris soin d'empiler suffisamment de bûches à portée de main, pour ne pas avoir à changer de place. Toutes les deux heures, il met de l'eau à chauffer dans une casserole posée sur une grille métallique placée au-dessus du feu entre deux pierres plates. Fait couler du café à travers une passoire grillagée recouverte d'un filtre en papier, disposée sur le large goulot de sa thermos rouée d'impacts. Verse le breuvage dans une tasse en fer-blanc et le sirote en se récitant mentalement une fable sans morale, invoquant les protagonistes du hameau sur des pages invisibles, avec l'assentiment de la nuit et des puissances supérieures qu'elle révèle à sa seule personne. Ce genre de tragédie antique.

Au petit matin, la tête vide, il laisse mourir le feu. La fraîcheur décolle lentement les écailles de chaleur qui recouvraient son visage. Il s'étire et ses articulations claquent comme les voiles d'un bateau. Il rassemble ses affaires, les enfourne dans son sac et grimpe à un sapin pour l'arrimer à une branche haute. Il lapide les braises encore fumantes avec les pierres cerclant le foyer, enfile sa cagoule et glisse deux cartouches supplémentaires dans la culasse de sa carabine, de celles qu'il utilise habituellement pour abattre un cerf.

Il traverse des bois et des combes désertiques, à l'abri de haies de sorbiers et de jeunes saules, marchant à pas de loup en l'absence des hommes. Le sentiment ultime de maîtriser l'écoulement du temps à la perfection, pendant que le tonnerre murmure au loin sa supplique, accompagné d'un bruit de moteur.

Arrivé à la bergerie, il s'assure que personne ne s'y trouve, prend par le verger et longe le pignon de la maison. Devant la caravane, il relève sa cagoule, de sorte à libérer sa bouche, passe sa langue sur ses lèvres et fait jouer ses mâchoires, afin qu'elle entende bien distinctement ce qu'il a à lui dire. Pour que tout s'accomplisse.

L'aube s'avance, soyeuse et rougeoyante. Georges conduit son tracteur et le soleil cavale dans sa tête. Les pénéplaines usées par la salive du ciel s'étendent au loin sous une ampoule de feu, éclairant leurs aréoles de petites Appalaches. Les herbes jaunies et les arbres privés de sève, toute la vie qui se retire dans le sommeil semble pénétrer la plante de ses pieds et affluer par le bois de son corps. Le Plateau tout entier dans l'acuité de son regard, comme autant de cicatrices enfin refermées. La certitude que dorénavant le lieu importe peu, que la beauté peut sortir d'une fosse à purin. Jusqu'au vent du sud, qui déjuge la froidure de la nuit, ralentissant le vol saccadé d'un pic épeiche.

Ce matin est une bénédiction.

Georges avait fini par penser que son cœur battait par défaut, jusqu'à la perfection de ce moment. Ce sentiment en lui, qui rend les actes plus légers, puisqu'ils prennent un sens dépassant leur simple cadre. Une sorte d'accord sublime, qui le ferait presque pleurer, s'il avait jamais su pleurer. Si on le lui avait appris un jour. Il en vient à nommer ce sentiment dans sa tête, pour lui seul, de peur d'en être dépossédé s'il sortait par sa bouche.

Après qu'il aura pris soin de ses bêtes, il retrouvera cette femme penchée sur un bol de café fumant, à qui il sourira comme à un démon apprivoisé. Qui sourira en lui offrant peut-être ses lèvres.

Les années d'errance. Une suite d'épreuves nécessaires.
Le Plateau lui parle enfin, et tout est pardonné.

L'hiver se penche déjà sur le Plateau et l'automne lui fait l'aumône de limbes squelettiques qui dégringolent en tournoyant. Un vol de palombes passe au-dessous de nuages noirs engrossés de pluie.

Emmitouflée dans un long pull qui lui descend aux genoux, Cory regarde par la fenêtre, les yeux dans le vague. La veille, en ville, elle n'a pas osé parler à Georges de l'ombre qui l'a traversée. Elle s'était crue assez forte pour affronter la foule, conjurer ses démons. Quand elle marchait au côté de l'homme-torture. Ombre misérable. Cette peur de retour, à la manière d'une rafale perforant un brise-vent. Elle n'y peut rien. La seule chose à faire dans ces cas-là, foutre le camp. Retourner en elle. Déléguer sa présence. Serrer les rangs, *ici*, où se trouve sa force.

La nuit, elle a tenté d'échapper aux fragrances nauséeuses du passé, résistant au sommeil, en lisant des drames humains d'un autre âge, en manière d'oubli de soi. Et au matin, la conviction que quelque chose d'essentiel a eu lieu, comme ces fièvres nécessaires, symptômes des luttes profondes d'un corps pour sa survie, dont il ne subsiste au réveil que des traces gelées sur la peau. Enfin sortir d'un long sommeil leucémique. Se retrouver dans un sas abandonné et préservé des guerres.

Avant d'aller soigner ses bêtes, Georges a allumé le poêle à pétrole. Il fait tout son possible pour prendre soin d'elle et cela la perturbe toujours autant, qu'un homme en soit capable.

En attendant son retour, elle est seule, et son cerveau ne peut s'empêcher de distribuer des rôles dans un avenir proche, un avenir où il ne serait plus question de se battre pour rester en selle sur un *canasson affolé*. Un avenir prophétique. Rien qu'elle n'eût imaginé dans l'antichambre de sa vie. Son enfance si lointaine, en fragments de mues punaisés sur le mur de sa mémoire.

Dans le ciel, les palombes ne sont plus que des poussières en quête d'invisibilité, sous un plafond mouvant de nuages aux allures de machine infernale, fabuleux pressoir de jus d'obscurité. Venues de hautes sphères incalculables, les premières détonations traversent un air épais et visqueux comme de l'huile de vidange, transpercé de fils d'or anarchiquement amidonnés. Naissance et mort d'une électrique beauté suicidaire. Le temps d'un fragment de seconde.

Georges dit toujours que, tant que l'orage ne passe pas la frontière de l'étang, il s'en tient aux menaces. Son dictionnaire du Plateau, hérité d'hommes et de femmes disparus. Cory garde cette vision grandiose d'une courte savane intensément révélée par l'anthracite du ciel. Elle ferme les yeux avec la sensation de lancer un dé en l'air en pariant sur un chiffre précis, sans réelle volonté de savoir si elle aura raison ou tort. Rien à perdre, et tant à gagner.

Elle se détourne de la fenêtre. En face, il y a cette porte fermée. Jusqu'à aujourd'hui, jamais elle n'aurait osé pénétrer l'espace intime de cet homme, n'y aurait même songé. Mais en cet instant, l'orage et la solitude semblent tracer des diagonales qui se coupent précisément sur la porte. Irrésistible curiosité qui déchire ses scrupules en papier de soie. Pourquoi résister ? Il n'en saura rien, après tout. Une façon d'acheter une part supplémentaire de cet homme, si fort et si fragile, qu'elle a aimé posséder dans sa main.

Tout est parfaitement propre et rangé à l'intérieur de la chambre. Pas d'odeur corporelle, malgré la lucarne fermée, pas le moindre vêtement abandonné, pas de vie émiettée çà et là. Aucun désordre apparent. En plus du lit, il y a un petit bureau avec un livre posé dessus : *Anthologie de l'érotisme en littérature*. Sur le lit escamotable, une épaisse couverture est tendue comme un drapeau posé sur le cercueil d'un soldat mort en mission, le genre de pensée qui vient à Cory en cet instant, rameutée par les salves du ciel. Elle passe un doigt sur le rebord d'une chaise, puis sur le bureau. Pas de traces de poussière. *Sortir maintenant. S'en tenir à la surface. Ne pas aller plus loin.*

Cory contourne le lit. Le seul endroit qu'elle n'a pas encore exploré. Il y a cette valise en cuir râpé, obturée par deux fermoirs métalliques. Elle contemple l'antiquité, comme si elle avait à lui révéler un secret sans qu'elle ait à regarder à l'intérieur, puis finit par appuyer simultanément avec ses pouces sur les boutons poussoirs. Ouvre la valise. Des vêtements. Cory en déplie plusieurs, rien que des robes d'une autre époque aux couleurs chaudes. Puis elle glisse une main dans le fond, plaque l'autre sur le dessus et soulève une pile de vêtements. Une boule d'antimite s'en échappe et tombe au sol. Cory dépose les robes sur le lit, s'apprête à ramasser la boule, son regard subitement attiré par une feuille de papier glacé gisant dans la valise. La saisit et la retourne : une photographie.

Jour de noces : un homme et une femme se tiennent par la main. Il porte un costume sombre, une chemise blanche et une fine cravate noire. L'incontestable sosie de Georges regarde amoureusement la femme. Elle est très belle, vêtue d'une simple robe blanche qui lui arrive aux chevilles, avec de la dentelle qui couvre ses avant-bras, imitant les toiles savantes d'une araignée. Le visage gelé de la femme sur la photo éclipse l'homme qui la dévore des yeux. Elle regarde l'objectif en souriant. Et au-delà de l'objectif, elle semble observer Cory, fouiller son cerveau à la recherche d'un espace vide où nicher.

Cory ne comprend pas pourquoi la vue de la photo la transporte de la sorte et elle revient aux robes éparpillées sur le lit. Sa tête tourne. La sensation de s'enfoncer dans la vase, comme un dipneuste dans un marais asséché ralentit le rythme de sa respiration. Elle plaque ses mains sur son visage, en palpe les reliefs. Se convaincre de la réalité de sa présence ici, attacher sa mémoire à un poteau d'exécution et la fusiller sur-le-champ. De minuscules planètes se mettent en orbite dans la pièce. Cory ferme les yeux pour tenter de stopper ce colin-maillard infernal. Devenir une étoile morte. Devenir. Renaître. Enfin.

L'orage a maintenant franchi la frontière des Ores. Cory rouvre les yeux. Recouvrant lentement ses esprits, elle croit entendre grincer une porte dans son dos, sentir le plancher gîter sous ses pieds. Et puis plus rien. Dehors, la pluie affale le tonnerre en percutant la coque de la caravane.

Et cette voix.

Comme sortie d'un laminoir.

Sa voix…

« C'est moi, je suis venu te chercher ! »

Il y a maintenant vingt-cinq ans.
La nuit où tout a basculé.

Karl était sorti de l'hôpital depuis peu. Le ciel
s'était voilé et Dieu n'existait plus. Juste l'alcool et la
défaite mélangés au sang. Et La Voix. Qui lui affir-
mait que quelqu'un devait payer pour cette défaite.

La fille avait cru le séduire en déployant ses ailes
chamarrées, le consoler. Avec ses mimiques de déesse
maléfique. Elle n'avait rien vu venir. Karl avait obéi
à la voix. S'était mis à cogner. Effacer le défi dans
les yeux de la fille. Son poing droit, le meilleur, répétant un geste huilé de rage, jusqu'à l'épuisement. Le
gauche en retrait, prêt à faire exploser les dernières
résistances. Des claquements secs, pareils à des
branches dévorées par les flammes. Puis la voix avait
faibli, finissant par s'éteindre. Karl s'était retrouvé
pantelant au-dessus d'un morceau de bois mort qui
s'était converti en corps inerte. Il s'était alors penché
sur le corps pour lui parler, le secouant pour effacer

les minutes précédentes. Incapable de comprendre que les os brisés avaient sectionné de petites choses fragiles, en dedans. Irréparables dégâts. Les années de prison converties en jours gravés sur un mur. Paquets de dix. Paquets de cent. Paquets de mille. Abandonner. Jamais personne au parloir. Pas de rédempteur en vue. Cloporte enroulé sur lui-même sous une écorce pourrie. Le compte perdu depuis longtemps.

Ce long chemin de souffrance pour en arriver à ce jour. Et tout racheter.

Frappe !

Dans la caravane, la fille encourage son héros. Elle n'a plus peur.

La voix de retour, aiguë, perçante, perfore de nouveau les tympans de Karl. La fille doit l'entendre, elle aussi. Il s'était juré de ne plus lui obéir, mais en cet instant, il bénit son retour.

Frappe !

Frapper, comme il l'a appris.

Cherche à toucher, faire mal. Détruire.

La voix enfle sous son crâne et il redouble de coups, en appelle à Dieu enfermé dans ses poings nus.

Seigneur, pourquoi te tiens-tu loin de moi, te caches-tu aux heures de détresse ?

Frapper à n'en plus pouvoir. Comme avant.

L'orage scande ses coups et les gouttes de pluie martèlent la coque de la caravane en milliers de pattes griffues cherchant une ouverture.

Un sang épais forme une glaise sur ses phalanges meurtries, explosant à chaque impact en poussière liquide, comme si la mémoire singulière de ce sang avait à se fondre dans un insoutenable projet cristallisé en noires billes de perlite. L'appel désespéré du permafrost. Au-delà de son Dieu. Le ramener dans ses filets.

Dresse-toi, Seigneur Dieu ! Étends la main.

Karl n'en finit pas de cogner, c'est tout ce qu'il y a à faire. Tout ce qu'il sait faire. Pour lui, la douleur est ailleurs. Dans la nuit calcinée, et dans les cris aussi. Dans l'incendie de pluie, dans la fougue rebelle de la clameur, dans ce pays aux mille sources impies qui n'irriguent personne et dérobent la foi du juste.

Seigneur, entends le cri...

Les cris... Puis le silence.

Il cogne encore. La sensation de réduire enfin l'obscurité en cendre, de se laisser cueillir par une main glacée.

Regarde, réponds-moi, Seigneur mon Dieu. Que ton regard illumine mes yeux. Tranche, Seigneur, ces lèvres mensongères ! Tu peux scruter mon cœur, le visiter la nuit.

Cogne, pour que la volonté divine parchemine le ciel, que s'écrive Son nom.

Debout, Seigneur ! Affronte-les. Terrasse-les. De ton glaive de feu, retranche-les du monde, arrache, anéantis leur vie. Qu'ils ne partagent pas le destin des vivants ! Et au réveil, je serai rassasié.

Frappe, frappe...

Frappe.

Assez !

Il n'y a plus rien à cogner qu'une masse inerte où s'enfoncent les poings de Karl dans un bruit de flaque piétinée. Comme il y a vingt-cinq ans.

Assez...

Au plus profond, il espère avoir tué.

La voix n'est plus. S'est retirée. Une âme ravinée par des pluies anciennes qui retrouve le sommeil, quelque part dehors, probablement engoncée dans une souche. Et la nuit accapare les territoires du ciel, comme de l'encre crachée par une seiche dans l'océan céleste. Ce genre d'aberration.

Assez.

Quelle présence aurait besoin de se cacher, si elle ne voulait soustraire aux yeux quelque infâme monstruosité, ou une inconcevable beauté ?

Dieu est désormais de son côté.

Pour toujours.

Le temps est venu de devenir l'homme qu'il est, prêt à tarir ses mensonges. À en payer le prix.

Le gant humide posé sur ses yeux ne parvient pas à soulager Virgile des brûlures. Même le collyre de la pharmacienne est désormais impuissant à lui venir en aide. Pourtant, ce n'est rien à côté d'une autre brûlure.

Tout est arrivé par sa faute. Martial a raison. Si seulement il avait donné l'argent à son frère, il serait encore de ce monde. Ici, ou ailleurs, peu importe. Au lieu de ça, il a suivi la volonté de son père à la lettre. Foutue droiture, satanée conscience, à s'entêter à défendre un axe tordu à la base. Pauvre idiot. Si seulement il avait fait ce qu'il fallait et non ce qu'il devait. Alors la brûlure de ses yeux ne compte pas vraiment. Pas plus que ses regrets impossibles à enterrer.

Le camion dans le virage. Une histoire inventée de toutes pièces, une de plus. Pour couper court. La vérité, celle qu'il n'a jamais dévoilée à Georges, un désastreux hasard. Henri picolait au volant, et il avait picolé une bonne partie de la journée avec sa femme. Ils buvaient à tour de rôle en se passant la bouteille de vodka, sûrement pour se donner du courage avant de rendre visite à Martial. Lui faire cracher le morceau. Un fusil chargé était posé sur la banquette arrière, au cas où Martial ne voudrait pas entendre raison. Un voisin les avait vus passer en faisant de drôles d'embardées, persuadé qu'ils iraient tôt ou tard au fossé.

La voiture ne roulait pas très vite quand elle avait percuté ce hêtre pourpre à la sortie d'un virage pas même serré. Sous le choc, le moteur avait reculé au niveau des sièges avant, broyant deux corps bien tendres qui avaient explosé comme des magnums de champagne sabrés.

Les flics avaient retrouvé une bouteille de vodka vide intacte sur un talus, à plus de vingt mètres de là, et le toubib, plus tard, le goulot d'une deuxième enfoncé jusqu'à la garde dans la gorge d'Henri. La vision sur laquelle Virgile s'endort chaque soir. Un sourire de verre sur la tête décapitée de son frère. La véritable brûlure.

L'orage est passé. Le soleil frappe Virgile et ses yeux agressés bricolent des formes biscornues aux teintes défaillantes. Il rabat la visière de sa casquette pour se protéger de cette lumière intense qui le met au supplice. Au moins, tant qu'il demeure dans l'enceinte de la ferme, ses mouvements ne lui posent aucun problème. Il connaît l'emplacement de chaque chose, les obstacles, la plus petite anfractuosité. Tous les pièges à déjouer. À le voir faire dans son aveuglement, on le dirait transbahuté d'une île à une autre sans véritable but.

Dans la grange, Virgile glisse un billot sous le timon de la remorque, serre le frein et dételle. Fait ensuite basculer le capot verdâtre du tracteur, retire la jauge à huile, passe un doigt le long de la tige métallique pour vérifier le niveau et l'essuie sur son pantalon. Une forte odeur de gasoil flotte dans l'air. Virgile a toujours aimé cette odeur. Il s'y reprend à deux fois pour grimper sur le siège en s'aidant du volant et du garde-boue. Démarre. L'engin tremble et s'apaise. Virgile se penche en avant, écoute le ronronnement du moteur, guette une éventuelle anomalie. Depuis que Karl y a *mis le nez*, il tourne comme une montre. Virgile respire les gaz qui s'échappent du gros pot latéral recouvert d'un dépôt noirâtre, ressemblant à de la fumagine sur un pied de tomates. Puis il éteint le moteur et la mécanique se résout au silence après quelques craquements articulaires, ce genre de soubresauts. Il descend du tracteur, frappe le capot du plat de la main, comme s'il félicitait un animal de trait pour services rendus, et sort de la grange.

Il n'y a pas un bruit lorsqu'il passe devant la caravane. Le petit Georges a décidé de grandir, se dit Virgile. C'est bien comme ça. Cory et lui travaillent à rénover la maison depuis plusieurs jours. Virgile n'y met plus les pieds. Plus de raison. Il n'est jamais allé se recueillir sur la tombe de son frère. C'était dans la maison qu'il allait lui parler. La véritable sépulture.

La plus acceptable. Que lui reste-t-il désormais ? Les jeunes ont l'air de bien s'entendre. Il semble que la fille se plaît aux *Cabanes*. Georges n'a plus l'air de se soucier de la remise en état du four à pain. Après tout, peut-être que la présence de Cory est une bonne chose.

D'un pas hésitant, Virgile prend par la sente percluse d'ornières qui mène aux Condamines. Se faufile entre deux rangs de barbelés, entend le tissu de sa veste se déchirer dans son dos sur quelques centimètres. Traverse la prairie et marche jusqu'à la pêcherie. L'estuaire de la rigole est intact. Il se penche sur la berge, arrime une main à une touffe de joncs et trempe l'autre dans l'eau pour asperger ses yeux. Il passe plusieurs fois sa main humide sur son visage, de haut en bas, de bas en haut, appuyant de plus en plus fort, comme s'il voulait faire pénétrer l'eau sous sa peau. Puis se relève et remonte la rigole. Un filet d'eau carillonne sur un matelas imperméable de terre. Virgile frappe de temps à autre les berges avec ses bottes pour en tester la solidité. Rien ne s'affaisse, aucun effondrement à déplorer.

Virgile devine la présence de la masse grise du cairn qui se profile en lisière de prairie. Il repense à son père lui racontant l'histoire tragique de cet arrière-grand-père assassiné par une meute aiguisée par la terreur d'un homme, au déroulement tragique de l'histoire de sa famille, à sa faute aussi, de n'avoir jamais rien fait pour en modifier le cours. À Judith et à lui, qui ont forcé Georges à demeurer dans le courant, les rêves légitimes d'un jeune homme qui rejetait cet écoulement héréditaire, comme son propre frère. Leur droit le plus absolu. Étouffé dans l'œuf.

Ce monde devait mourir, et Virgile n'a pas voulu entendre les appels répétés, pareils à de la mitraille tirée contre un blindage. Rien vu tant qu'il le pouvait, et désormais, l'horizon éclaté n'est pas autre chose qu'un voile transpercé par une lumière noire.

Au loin, le jour s'use sur les collines. Les beagles de Karl accueillent Virgile en couinant et aboyant dans leur chenil, prêts à partir sur le sentier de la guerre. Il cogne à la porte. Personne ne répond. Fait le tour de la maison. Poursuit jusqu'à l'écurie. La porte est entrouverte. Virgile signale sa présence. Pas de réponse. Tout est calme, Karl ne s'entraîne pas sur son sac. Virgile pousse le battant et dérange une poignée de grosses mouches qui foncent vers l'ouverture en rangs serrés. Odeur insoutenable. Un bras tendu en avant, il se dirige dans la pénombre vers la source de la puanteur. Avance machinalement une main et la retire aussitôt. Une masse flasque suspendue à une poutre. Le cadavre d'un animal décapité et dépecé, en train de pourrir.

Virgile recule aussi vite qu'il le peut. Mélange de peur, de dégoût et d'incompréhension. Hors de l'écurie, il pose une main sur sa poitrine, comme pour tenter de contenir l'emballement de son cœur. Les chiens aboient comme des damnés pris dans les flammes de l'enfer.

À l'angle de la maison, il reconnaît le cliquetis caractéristique d'une arme qu'on charge, ou qu'on décharge. S'approche de la silhouette qui lui tourne le dos dans la cour.

Un pied posé sur une marche et la crosse appuyée sur sa cuisse, Karl retire une à une les cartouches de son Browning semi-automatique et les fourre dans les alvéoles de la cartouchière qu'il porte autour de sa taille. Ses vêtements sont trempés.

Virgile est à moins de dix mètres et Karl se retourne, fusil pointé sur son ami.

Virgile lève les mains.

— Déconne pas !

— Il est pas chargé.

Karl abaisse son fusil, glisse la crosse sous son aisselle droite, le canon sur son avant-bras. Immobile, il paraît immense. Virgile s'avance d'un pas hésitant. Pour la première fois, il réalise à quel point Karl a perdu du poids ces derniers jours. Ses mains sont recouvertes d'une substance qu'il prend d'abord pour de la boue séchée et, sans les quitter des yeux, il demande :

— Qu'est-ce que t'as fait ?

Karl regarde ses mains, comme si elles ne lui appartenaient pas.

— Ça va.

— Tu t'es blessé ?

— C'est rien.

Les yeux de Karl sont comme des gouttières usées :

— Tu penses que je suis pas un homme bien, hein ?

— Qu'est-ce que tu me chantes ?

— Je me suis racheté, regarde !

Karl étend ses bras à la manière de quelqu'un à qui l'on va passer des menottes. Virgile ne peut plus ignorer les profondes coupures.

— Il faut pas rester comme ça. Viens à l'intérieur, que je regarde de plus près.

Karl suit Virgile dans la maison. Il dépose son fusil sur la table, dégrafe sa cartouchière et l'accroche par la boucle au dossier d'une chaise.

— T'as de quoi nettoyer ça ? dit Virgile.

— J'ai pas mal.

— Discute pas, ça peut s'infecter.

— Dans le placard de la salle de bains.

— Bouge pas.

Karl est à la même place quand Virgile réapparaît. Il ne réagit pas plus quand il lui demande de s'asseoir pour nettoyer les blessures avec un coton imbibé d'eau oxygénée.

— J'imagine que c'est pas sur un sac que t'as pu t'esquinter comme ça.

— Non, pas sur mon sac, dit Karl avec un sourire béat.

— C'est en dépeçant cette bestiole, pas vrai ?

— Quelle bestiole ?

— Je l'ai vue, dans l'écurie. Pourquoi t'as fait une chose pareille ?

Karl ramène ses mains contre sa poitrine et dans son regard tari, il y a deux astéroïdes lancés à pleine vitesse, qui semblent vouloir quitter leur atmosphère.

— Je crois que je l'ai tuée.

Virgile s'interrompt et dépose le coton taché de sang sur la table.

— Ça c'est sûr, tu l'as tuée.

— Je parle pas de la bestiole.

— De qui tu parles ?

— Fallait que je le fasse.

— Je comprends pas.

— La voix, c'est fini, je m'en suis libéré pour toujours.

— Quelle voix ?

— Celle à qui j'obéissais.

— Tuer des bestioles, et leur couper la tête, c'est ça qu'elle te commandait ta foutue voix ?

— C'était pour comprendre. C'est comme ça que je l'ai sauvée.

— T'as tué ou sauvé qui à la fin ?

Karl se détend. Sa voix est paisible :

— Elle souffrira plus.

— Qui, souffrira plus ?

— Va voir par toi-même, si tu me crois pas.

— Dans l'écurie ?

— Qui te parle de l'écurie. Cette fille, dans la caravane, j'ai fait ce qu'il fallait pour qu'elle s'arrête de souffrir.

— Nom de Dieu, c'est pas vrai…

— Je l'ai sauvée, Virgile, je l'ai sauvée, elle. C'est ce que j'essaie de te dire depuis le début.

Karl se balance d'avant en arrière sur sa chaise, sous le regard pétrifié de Virgile. Des gouttes de sang recommencent à perler sur ses mains. Virgile est prêt à sortir. Karl lance ses bras par-dessus la table et l'empoigne avec force. Sa bouche tordue déforme son visage tout entier.

— Attends !

Virgile tente de lui faire lâcher prise, en vain.

— Lâche-moi…

— Je me suis racheté, je veux que tu le saches avant d'aller là-bas.

— Racheté de quoi, putain ? T'es complètement fou !

— Plus personne souffrira à cause de moi.

Profitant d'un moment d'inattention, Virgile parvient à se dégager. Karl ne tente rien. Avant de sortir, Virgile se retourne vers cet homme qu'il ne reconnaît plus et qui montre le plafond du doigt en faisant le signe de croix plusieurs fois d'affilée, un large sourire en lame de cimeterre. Et qui ajoute :

— Je suis le sauveur… comme lui.

Virgile remonte le chemin boueux, aussi vite que ses jambes le lui permettent. Lorsqu'il parvient à la caravane, tout essoufflé, la porte bâille au-dessus du marchepied. Il n'y a pas le moindre bruit alentour. Il entre, bute sur une chaise avant de trouver l'interrupteur. L'intérieur de la caravane est un véritable champ de bataille, livres éparpillés, meubles renversés. Plusieurs taches sombres sur le sol. Virgile se penche pour mieux voir, touche, respire. L'odeur du sang s'insinue dans sa bouche comme de l'acier froid. « Qu'est-ce que t'as fait, Karl ? c'est pas possible... t'as pas fait ça ? » Virgile tourne sur lui-même dans l'étroite pièce, pareil à une toupie butant contre les parois d'une boîte. Découvre d'autres traces de sang sur une cloison, puis visite les autres pièces, intactes celles-ci.

— Qu'est-ce qui se passe ?

Virgile sursaute, se retourne. Georges se tient sur le marchepied, s'agrippant des deux mains au chambranle, prêt à se propulser dans la caravane.

— C'est quoi ce bordel ?

Virgile jette des regards hébétés tout autour de lui.

— J'en sais rien.

Georges évalue l'intérieur de la pièce.

— Où est Cory ?

— Je sais pas.

— Cory !

— Elle est pas là.

— Qu'est-ce que t'en sais ?

Georges appelle encore Cory plusieurs fois. Virgile le laisse faire.

— Elle est pas là.

— Qu'est-ce que tu fais chez moi, d'abord ?

Virgile ne répond pas. Georges entre, bouscule les chaises et découvre les taches de sang sur le plancher. Il se met à gueuler sur son oncle :

— Qui est blessé ?

Virgile regarde ses mains et, comme s'il crachait de la poussière, il dit :

— Karl.

— Quoi, Karl ?

— Je l'ai soigné, tout à l'heure.

— Il est venu ici ?

— C'est ce qu'il m'a dit.

— Il t'a parlé de Cory ?

— Il est pas dans son état normal.

— Son état, je m'en fous, est-ce qu'il t'a parlé de Cory ?

— Je crois qu'il a fait une connerie.

Georges bondit en avant et pose ses mains sur les épaules de son oncle.

— Quelle connerie ?

Virgile recule d'un pas et rejoint l'ombre d'un meuble. Les mains de Georges restent un bref instant suspendues en l'air. L'iris de ses yeux est une douve emplie de lave en fusion.

— Il est où ?

— Encore chez lui, je suppose, c'est là-bas que je l'ai laissé.

Georges attrape son fusil au-dessus d'une rangée de placards, puis ouvre un tiroir, en sort une boîte de cartouches et la glisse dans une poche de sa veste. Virgile s'avance vers son neveu.

— Qu'est-ce que t'as l'intention de faire ?

— Pousse-toi !

Virgile saisit le canon de l'arme à pleines mains.

— Fais pas de bêtise.

Georges secoue son arme pour lui faire lâcher prise, sans y parvenir.

— Laisse-moi régler ça !

— Je viens avec toi.

— Tu vas nulle part !

Georges repousse son oncle en le frappant au plexus de la bouche du canon et l'envoie valdinguer contre l'évier.

Virgile, à quatre pattes, souffle coupé, tente de se relever en prenant appui sur des étagères qui cèdent sous son poids. Georges est déjà dehors. Il entend ses pas rapides qui martèlent le sol. La sensation que son cœur est un piston comprimé qui attend l'explosion.

Nouvelle tentative pour se redresser. L'effort fait naître de mystérieuses entités qui dépouillent les dernières traces de lumière avant qu'elles ne parviennent sur sa rétine. Des rubans d'obscurité se dévident sous la voûte de son crâne, et la nuit devient immense, insondable.

Les fines branches des bouleaux qui ont poussé dans l'année hachurent le ciel. Elles ressemblent à des cheveux noirs prolongeant les troncs en blanches racines piquées sur le cuir de la lande.

Animal blessé, allongé dans un lit de carex aux pointes blondes peignées par la brise du soir, le chasseur nettoie les plaies de son visage en se tordant de douleur. Il se rappelle l'orage, le choc sur sa nuque et la pluie de coups. Son impossibilité à y répondre. Quand il s'est fermé à la vie, par pur instinct, on a arrêté de le frapper. Laissé pour mort sur le plancher de la caravane. Le temps réduit à un sifflement continu dans sa tête. Il a entendu des voix, puis les voix se sont éloignées, et puis plus rien. Il s'est mis à ramper pour sortir. Personne dehors. Il a dévalé le marchepied sur le dos et, sous la violence du choc, s'est absenté quelques secondes, avant de recouvrer ses esprits. Ne pas rester là, vulnérable, était tout ce qui comptait.

Il ne se souvient déjà plus comment il s'est traîné jusqu'au ruisseau, de quel puits il a remonté tant de ressources pour tenir sur ses jambes.

Ses muscles refroidis amplifient la douleur dans sa poitrine, côté droit, et le sang dégouline de son nez explosé. Il enrage en se disant qu'il aurait dû se méfier, assurer ses arrières. Trop sûr de lui.

Malgré la souffrance, son cerveau fonctionne à plein régime. Il sait qu'il lui sera impossible de monter dans le sapin pour récupérer son sac. Il faut gagner la grotte. Un endroit parfait où se terrer, le temps de reprendre des forces, que les choses se tassent. Se faire oublier. Réfléchir à ce qu'il va faire dans les jours à venir. Il ne mourra pas de soif, et pour la nourriture il peut tenir plusieurs jours sans problème, son corps sait s'astreindre au manque. Ce n'est pas la première fois.

Encore un peu de temps nécessaire pour rassembler ses forces. Puis, il bascule sur le flanc, prenant garde à ne pas comprimer ses côtes brisées. Sous l'effort, son nez produit d'étranges bruits, comme un caniveau en train de se vider.

Sa respiration apaisée, il s'aide de ses bras pour se rapprocher en rampant de l'arbre le plus proche. Prend appui contre le tronc en comprimant ses muscles valides, se redresse et se met en marche en vacillant. Il lutte pour ne pas s'effondrer et de l'eau salée gicle sur sa peau pour contrer la surchauffe de son corps.

Il parvient à la lisière de la forêt au rythme d'une salamandre. Là, il tente de casser une branche pour s'en faire un bâton sur lequel s'appuyer, mais n'y parvient pas. Repart en brinquebalant. S'arrête sans cesse. Envie de crier sa douleur, l'expulser. Se retient. Chaque pas produit des vibrations pareilles à des mâchoires de piège à loups se refermant sur ses chairs à vif.

Le trajet menant à la grotte prend un temps infini. Il fait presque nuit, mais le ciel clair et la lune sont avec lui. Quelques mètres avant l'entrée, il longe la paroi afin de marcher sur un socle solide et s'enfonce dans la grotte plongée dans une semi-obscurité.

À bout de force et de souffrance, il s'adosse à une paroi et se laisse glisser contre la roche humide. Au sol, il déplie ses jambes, s'allonge et ferme les yeux. En sécurité. Se reposer. Attendre que son corps se rafistole pour aller récupérer ses affaires. Rien ne presse désormais.

Léger froissement dans la grotte. Un souffle d'air s'engouffre, charriant une odeur suave. Ce parfum, le chasseur le reconnaîtrait entre mille autres.

— Comment tu te sens, bébé ? demande une voix douce.

Le chasseur se force à ne pas ouvrir les yeux, laisse le charme agir. On ne l'a jamais appelé comme ça. La voix pose à nouveau la question, mais l'intonation est un peu différente, à peine plus dure. Il tente de bouger et ses muscles refroidis ne font plus barrière à la douleur. Il serre les dents pour ne pas crier. Le son de la voix tangue à nouveau dans sa tête, comme s'il essayait de régler le curseur sur une station de radio.

« Bébé ! »

Il ouvre les yeux. Cory se tient à quelques mètres de lui, son visage étonnamment net, malgré la pénombre. Il se surprend à la comparer pour la première fois à un ange, mais il n'en dit rien. Un ange, ou plutôt l'envers d'un ange, qui surplombe sa déplorable défroque. Cory, telle qu'il l'a laissée, des mois, des semaines, des jours, des heures, des minutes plus tôt, sa carabine dans les mains.

— Tu as oublié ça, dit-elle en pointant l'arme sur lui.

Et, sans aucune émotion dans la voix, comme si l'apparition était naturelle en cet instant, il dit :

— Tu m'as suivi.

— C'était facile.

— Je m'en doutais.

Cory promène son regard à l'intérieur de la grotte.

— Menteur, évidemment que non, tu ne le savais pas.

— C'est vrai.

— Tu ne peux pas t'en empêcher.

Un sourire arrache une douleur supplémentaire de la poitrine du chasseur.

— Personne me connaît mieux que toi, dit-il.

— Je ne le souhaite à personne.

— Pourquoi tu es là, alors ?

Cory hésite.

— Moi, c'est pas pareil, et puis, on ne pouvait pas se quitter comme ça.

— On le dirait bien.

— Je savais que tu me rejoindrais un jour ou l'autre.

— Toi, t'as jamais su mentir, dit-il en essayant de sourire à nouveau.

— Comment tu m'as retrouvée, je n'ai dit à personne où j'allais.

— Tu me prends pour qui ? Je t'ai jamais lâchée, il suffisait de te suivre quand tu es allée faire ta réservation à la gare. Ensuite, j'ai laissé mon charme agir, et la femme qui tenait le guichet a bien voulu sauver notre histoire.

— Au fond, j'imagine qu'il fallait que ce moment arrive.

Cory observe l'homme-torture, si vulnérable à présent. Ses yeux charrient les dernières gouttes de peur. Regard lisse et froid, détaché de sa propre histoire. Quand toute la haine accumulée finit par ne plus rien peser. Dans cette grotte humide, entre des racines de pierre usées par le ruissellement. Le dieu soleil en laisse, à la porte.

— Tu veux bien m'aider à m'asseoir ?

— Il faut que tu te reposes encore un peu.

— Après, on rentrera à la maison et on oubliera tout.

Le visage de Cory ressemble à la lune en plein jour.

— C'est ça.

— J'ai cru qu'il allait me tuer, ce type.

— Je l'ai cru aussi.

— Tu aurais pu m'aider.

— Je te croyais assez fort.

— Je comprends pas ce qu'il avait après moi.

— J'imagine qu'il voulait me protéger.

Le chasseur contracte ses muscles. Cory recule d'un pas et resserre sa prise sur l'arme. Il tente de se redresser et s'affaisse aussitôt en gémissant, son corps tout entier parcouru de spasmes. Le temps de reprendre son souffle.

— Tu sais bien que c'est pas ce qu'il voulait. C'était toi qu'il voulait, pour lui tout seul, et c'est pas ce qui est prévu.

— Ce qui est prévu ?

— Qu'on soit à nouveau ensemble.

— Ensemble, répète Cory en fixant la paroi rocheuse derrière l'homme-torture.

— Ils te méritent pas, tous autant qu'ils sont dans ce foutu bled.

— Et toi, tu me mérites, c'est ça ?

— On est faits l'un pour l'autre, Cory, tu le sais et y a rien qui peut aller contre.

— Tu es bien sûr de toi ?

— Pourquoi tu crois que j'ai fait tout ce chemin pour te retrouver, que j'attends dans les bois le bon moment ?

Cory désengourdit ses doigts sur l'arme, le canon toujours pointé en direction du chasseur.

— Quelqu'un sait que tu es ici ?

— Personne.

— Comment tu te sens, maintenant ?

— Soulagé, le reste n'a pas d'importance.

— Moi aussi, je me sens soulagée, dit-elle pendant que sa voix retombe.

Le chasseur ferme les yeux. Il semble serein, apaisé. Dans le fond de la grotte, des gouttes suintent de la voûte et s'écrasent sur la roche dans un bruit métallique. Il raidit sa nuque, prend appui sur la terre battue pour décoller sa tête de quelques centimètres. Ouvre les yeux. Voit le visage de Cory dans le prolongement du canon. Il comprend ce qui se passe sans être en mesure de s'y opposer.

Une détonation ravage le silence. La poitrine du chasseur se recouvre d'une boue de chairs sanguinolentes et des gouttes s'envolent et retombent çà et là. La tête du chasseur cogne contre le sol et le sang afflue à l'intérieur de sa bouche avec une étonnante rapidité. Ses lèvres s'entrouvrent, laissant apparaître un petit volcan de lave épaisse, presque noire. Il tente de parler, mais ses mots s'évaporent dans l'air glacé de la grotte.

Cory regarde la flaque s'étaler autour du corps étendu, comme du pétrole s'écoulant d'une cuve. Et elle attend que l'homme-torture meure pour de bon.

À genoux, Virgile balade ses mains devant ses yeux ouverts, les rapproche toujours plus près de son visage. La scène a des allures de rituel incantatoire. Les mains reviennent lentement à la vie, prennent forme en contours saillants. Il touche sa tête nue, cherche sa casquette sur le plancher. Ne la trouve pas. S'aide du rebord de la table et se lève avec difficulté.

Il sort dans la nuit en titubant. S'appuie un instant contre la caravane, qui craque sous son poids. Le temps de faire le point sur la situation, tenter de remettre les événements passés dans l'ordre : Karl, Georges, Cory, le fusil et le sang.

La lumière restée allumée à l'intérieur dessine d'étranges figures au-dehors, qui apparaissent et disparaissent en une suite burlesque. Il n'y a plus de temps à perdre.

Au moment où il s'apprête à se mettre en route, pour rejoindre la maison de Karl, il entend quelqu'un qui se dirige vers la caravane. Des pas rapides plaqués

sur la nuit. Virgile se porte au-devant de Georges, soulagé qu'il soit enfin revenu à la raison, et c'est une
voix de femme qui lui répond.

Des milliers d'années que l'homme se trompe, à se croire roi de ce territoire impossible à domestiquer. Des fermes en caravansérails abandonnés, mirages flottant sur de déplorables oasis sanctifiés par d'annuelles oboles faites à une végétation rapportée. Humains voyageurs poussés à la sédentarité par la peur de l'inconnu. Proies immobiles faciles à mettre en joue. Suppliciés volontaires, qui se résument à la somme de vide qu'ils étreignent toute leur vie. À penser que leur sillage demeurera gravé dans la terre, qu'elle n'en finira jamais de plaider leur cause, et que leur travail y suffira. À se croire ainsi utiles à quelque immense projet. À se croire si forts, qu'ils en oublient précisément d'être inutiles : leur humaine mesure. Cette dérisoire lutte qu'ils mènent contre eux-mêmes sans le savoir, et qui les conduit à l'oubli.

Qu'il en soit ainsi.

La porte s'ouvre brusquement. Karl relève la tête.

— Me remercie pas, Georges.

— Où est Cory ?

— Je l'ai sauvée, elle souffrira plus jamais.

— Qu'est-ce que tu lui as fait, pauvre malade ?

Karl a l'air surpris.

— Je te dis que je l'ai sauvée.

— Elle est où ?

Karl ouvre ses poings et lève les bras en l'air, un sourire aux lèvres. D'une voix monocorde, il dit, comme si la réponse paraissait tout aussi évidente que la précédente :

— Partout, elle est partout, maintenant.

— Qu'est-ce que t'as fait d'elle, enfoiré ?

Les yeux exorbités, Karl se met à balancer les bras en regardant le plafond.

— Regarde.

Georges suit les mouvements, comme hypnotisé, puis Karl abaisse ses bras et les tend vers son fusil, posé sur la table. Ses mains sont recouvertes de croûtes de sang. Il sourit encore. Georges presse la détente et le crâne de Karl s'éparpille en fragments de chair et d'os, minuscules pacotilles sanguinolentes colportées par la décharge de chevrotines qui se collent sur le sol et les meubles, formant ainsi une nouvelle galaxie, un univers parcellaire coupé du reste de l'univers.

Une détonation parcourt le Plateau et balaye la lande de son souffle toxique, avant de rejoindre la forêt, comme de la fumée qui s'évanouit dans l'espace sans laisser la moindre trace tangible.

Quelque chose vient de percuter la roche-mère, traversant de maigres horizons pour parvenir jusqu'à elle, s'y enfoncer. Chose cosmique consciente de sa puissance, chariot de feu conduit par un aurige, depuis les tréfonds de l'univers à la recherche d'un monde à détruire. En rien le fait du hasard. Cette chose, une graine née de forces incontrôlables, un embryon de pierre froide. Une chose plantée comme un minuscule menhir dérobé à la vue, une dent crachée au fond d'un puits, incrustée dans une gencive de granit. Si loin de son berceau.

Une chose sans nom, qui n'en a pas fini d'être autre chose.

Quand la raison devient la pire des trahisons.

La vengeance n'apporte aucun soulagement à Georges. Il ne pense qu'à Cory, à ce que Karl lui a fait, tout ce sang dans la caravane. Ivre de rage, il épaule de nouveau son arme, prêt à faire feu. Au moins pour en finir avec ce sourire.

— Fais pas ça, Georges !

Georges ne réagit pas, vise toujours la bouillie de chair. Virgile s'approche lentement de lui.

— C'est plus la peine, donne-moi ce fusil.

Georges ne bronche pas.

— Bouge plus.

— C'est fini, tu vois bien qu'il est mort.

— Il l'a tuée. Ce taré a tué Cory, dit Georges comme s'il parlait à Karl.

— Non, il l'a pas tuée.

Georges décolle la joue de la crosse, le temps nécessaire aux mots de son oncle pour parvenir à faire sens.

— Qu'est-ce que tu racontes ?

— C'est ce qu'on a cru tous les deux, mais Karl a tué personne.

Georges remet en joue le cadavre. Ce sourire à effacer.

— Pourquoi tu mens ?

— Elle t'attend, je te dis.

— Où ?

— À la caravane. Va voir si tu me crois pas.

— Pourquoi elle est pas venue avec toi, si tu dis vrai ?

— Je voulais pas qu'elle voie ça.

— Qu'est-ce que t'en savais de ce qu'il y avait à voir ?

— J'ai entendu le coup de feu.

Georges passe la manche de sa veste sur ses yeux.

— Pourquoi il s'est pas défendu, tout à l'heure, s'il a rien fait ?

La voix de Virgile se fait plus ferme.

— Il voulait que tu le fasses.

— Que je fasse quoi ?

— Je crois qu'il voulait mourir.

— C'est n'importe quoi.

— Quand je suis venu le voir, j'ai pas compris qu'il parlait pas de Cory.

— De qui, alors ?

Virgile prend un temps.

— J'en sais rien, il m'a parlé d'une voix qu'il entendait dans sa tête.

— Et le sang, dans la caravane ?

— Le sien. T'as vu ses poings ?

Georges se détourne du cadavre et plante un regard empli de larmes dans celui de son oncle.

— Tu me racontais pas des salades, hein, tu ferais pas ça ? C'est bien vrai que Cory est vivante ?

— Je te le jure.

Georges fixe à nouveau le cadavre de Karl au bout de son fusil, et une étrange lueur affecte ses yeux, comme s'il prenait seulement conscience du geste qu'il vient de commettre.

— Je l'ai tué pour rien…

— Donne-moi ce fusil, maintenant, dit Virgile.

Georges tend son arme à Virgile, puis il semble chercher quelque chose dans la pièce.

— Je vais appeler les flics, dit-il.

— Non, tu vas pas faire ça.

— J'ai tué un homme, putain.

— Il aurait fini par le faire lui-même.

— Des conneries.

— Karl était au bout du rouleau, il me l'a avoué… des choses pas belles, qu'il a dû faire avant d'arriver ici.

— Tu essaies de me dire qu'il s'est servi de moi ?

— Oui, c'est ce que je crois.

— Comment tu veux que je vive avec ça, ma vie est foutue.

— Non, ta vie est pas foutue.

Georges cherche à percer le regard de Virgile.

— Bien sûr que si…

— Personne est censé savoir ce qui s'est vraiment passé ici.

— Je peux pas te laisser faire ça.

— T'es qu'une victime dans cette histoire.

— Je croyais que Karl était ton ami.

La voix de Virgile en cet instant, pareille à un suaire déposé sur le corps.

— Il l'était.

— Je comprends pas comment tu peux réagir aussi calmement.

— Je fais juste ce qui doit être fait.

— T'es prêt à tout pour que je m'en sorte, même à enfreindre la loi.

Virgile relève le menton avec dédain.

— La loi, on se la fabrique avec les circonstances qui se présentent à nous.

— T'as tout prévu… comme toujours.

— Cette fille, elle est quoi pour toi ?

Georges observe longuement son oncle, comme s'il cherchait des mots pour expliquer ce qu'il ressent, et il ne lui en vient qu'un seul, en forme d'aveu :

— Tout.

— Alors, tu vois bien qu'il y a rien d'autre à faire que ce que je dis.

Georges ne pense plus qu'à Cory qui l'attend dans la caravane. Il sort sans se retourner. Le bruit de ses bottes dans la cour, comme les coups réguliers d'un bélier quand il aspire l'eau d'une source.

Virgile range l'arme de Karl et la cartouchière, puis s'assoit sur une chaise. Il essuie le bois du fusil avec son pull, pose ensuite la crosse au sol, canons coincés entre ses jambes, balade son regard sur le corps allongé à ses pieds, s'arrête sur le visage, se concentre pour en modeler les chairs bousillées, leur redonner forme humaine. Et lorsque sa mémoire y parvient enfin, il se penche au-dessus de Karl pour qu'il entende bien ce qu'il a à dire.

Alors seulement, il accepte l'odeur du sang. Il accepte la mort.

Tu t'es bien foutu de moi, mon salaud.

Virgile plonge sa main dans la poche de sa veste et sourit en sentant que le flacon est toujours là.

Je vais pas te décevoir.

Épilogue

Le vent éparpille des cristaux durs comme du sable, qui s'en vont se ficher sous la peau du visage de Clovis qui cligne des yeux pour éviter les impacts. Il est tombé dans la neige gelée par – 20 °C. Couché sur le dos, il ne ressent aucune douleur.

Une voix blasphème à contretemps dans son crâne. Il imagine ainsi contrer la venue de l'archange que semblent annoncer les derniers rayons de soleil qui tracent un filament poudreux, enfarinant au loin la cime de grands arbres.

Malgré les efforts déployés, sa hanche décalcifiée refuse de répondre. Il tend sa main droite pour saisir sa canne, tente de se relever, mais l'extrémité en caoutchouc glisse sur le sol. Le froid comprime ses tempes. Au moins s'abriter un peu. Il prend appui sur ses coudes et rampe en direction du mur de la maison, là où dévale une gouttière en forme de carnyx gaulois. Sa transpiration givre instantanément sur ses cheveux et il remue les lèvres pour les empêcher de se souder. Il pose sa main sur la gouttière et ses doigts gelés ripent sur le zinc. Puis il plie le genou de sa jambe valide pour essayer de prendre un appui, mais son pied dérive sur les dalles verglacées, balayées par le vent.

Il appelle à l'aide et seul le vent lui répond.

À cet instant, il réalise que c'en est peut-être fini de sa vie, dans cette allée coincée entre un bûcher garni et une cuisinière brûlante derrière le mur, dans son dos. L'idée dessèche encore un peu plus sa gorge. Une terrible envie de boire. Il décroche une stalactite qui pend à la lèvre inférieure de la gouttière et se met à sucer avidement la glace, puis croque. Le contact brutal avec une molaire pourrie déploie un courant électrique à l'intérieur de sa bouche.

Le froid a désormais traversé les couches de vêtements, s'insinuant partout entre les poutres de son squelette, arcs-boutants soutenant les masses durcies de ses organes boulottés. Comme par simple jeu.

Parvenu au-delà du seuil de la douleur, les innombrables morsures du froid sont indolores. Le monde disparaît dans le regard équinoxial du vieil homme, devenant une chose naturelle à l'accomplissement qu'est la mort. Quand la question de l'acceptation ne se pose plus. Qu'il n'y a plus qu'à déposer les armes, parmi l'air ennuagé d'aiguilles morfales.

Un bruit de clenche qu'on soulève et qui retombe sur son support métallique.

Rêve ?

Les gonds du portail qui grincent.

Rêve ?

Des pas lents et pesants, qui ressemblent à des fruits trop mûrs s'écrasant sur un socle dur.

Rêve ?

Les lèvres du vieil homme cousues par le gel esquissent un sourire. Il n'y a qu'à suivre ses traces pour arriver jusqu'à lui. Le sauver.

Rêve ?

Un bruit de papier froissé qu'on triture.

Un rêve ?

Une silhouette qui prend forme au milieu des tourbillons de poudreuse arrachée au sol par les rafales de vent.

Pas un rêve.

Silhouette immobile au-dessus de Clovis. Quelques secondes, puis s'éloigne et s'évanouit, engloutie par la nuit, pendant qu'un cri muet tournoie dans la bouche emmurée de Clovis.

J'aurais rien dit, Virgile. J'aurais jamais rien dit.

Merci, Pierre Demarty, d'avoir battu la campagne à mes côtés, depuis les friches de mes intentions jusqu'à ce texte en chemin de mots. Ce livre tient à nos silences, à ta fougue bienveillante, à la fumée des cigares, aux verres noblement vidés, à la matière humaine qui décide pour nous, à la fraternité.
Merci d'être là, à l'exacte place qui est la tienne.

Le Livre de Poche s'engage pour
l'environnement en réduisant
l'empreinte carbone de ses livres.
Celle de cet exemplaire est de :
320 g éq. CO_2
Rendez-vous sur
www.livredepoche-durable.fr

PAPIER À BASE DE
FIBRES CERTIFIÉES

Composition réalisée par PCA

———————————

Achevé d'imprimer en octobre 2018, en France sur Presse Offset par
Maury Imprimeur – 45330 Malesherbes
N° d'imprimeur : 230304
Dépôt légal 1re publication : mars 2017
Édition 05 – octobre 2018
LIBRAIRIE GÉNÉRALE FRANÇAISE – 21, rue du Montparnasse – 75298 Paris Cedex 06